KB009834

단독주택에 진심입니다

아파트 층간소음 탈출기

단독주택에
진심입니다

아파트 층간소음 탈출기

봉봉 지음

북스토리

〈티끌모아 로맨스〉라는 영화를 좋아했다. 청년 백수와 지독한 '짠순이'가 만나 그야말로 티끌이라도 긁어모으는 생계형 청춘 로맨스. 이들의 궁색함과 기상천외한 돈벌이에 박장대소했지만 마냥 웃을 수만은 없었다. 실업 시대 청춘들의 초상을 담은 이야기는 바로 내 이야기이자 아내의 이야기이기도 했다.

낭만적인 성향을 타고난 나는 글을 써보겠다고 대학에 들어가 이렇다 할 공부도 없이 세월을 보냈다. 가정형편을 생각하면 취업이 잘되는 학과를 졸업해 하루라도 빨리 취직을 했어야 했는데, 생각만 그럴 뿐이었다. 사실 누가 그렇게 하라고 등을 떠밀지도 않았는데 말이다. 대학을 졸업할 때쯤에는 또 다른 낭만, 라디오를 만났다. 기어코 방송 일을 하겠다고 또 몇 해를 비정규직과 백수의 나날로 보내야 했다. 그러다 겨우 고향 인천에 있는 작은 방송사에 취직해 일을 시작했다. 8년을 일해도 모은 돈은 별로 없었다. 돈을 모으는 방법도 이유도 몰랐으니까.

그나마 엄마와 함께 살며 집에 대한 걱정은 하지 않았다. 결혼 전까지 엄마와 살던 곳은 임대아파트였는데, IMF 때 우리 집이 경매로 넘어간 후 우여곡절 끝에 얻은 것이었다. 그래서인지 엄마는 늘 집에 대한 걱정이 많았다. 내가 결혼할 때에도 "그때 집이 남았더라면", 우리가 2년마다 전셋집을 구하러 다닐 때에도 "무리해서라도 집을 사는 게 좋은데"라는 말을 한숨처럼 내쉬곤 하셨다.

반면 대책 없이 낙천적인 나는 임대아파트도 나름 메리트가 있다고 생각했다. 이렇게 평생 살 수 있다면 집을 뭐 하러 사려고 저리들 난리란 말인가. 임대아파트에 입주할 수 있다면 그런 삶도 나쁘지 않아 보였다. 아니 오히려 그게 더 효율적이라고 생각했다. 이런 생각을 엄마에게 말했더니, "쓸데없는 생각 말고, 젊을 때 부지런히 일해서 아파트 사라"는 말로 대뜸 후려치셨다. "절대 빚보증은 서지 말라"는 당부와 함께.

아내도 20대 초 서울로 올라와 프리랜서 생활을 오래 했지만 월세방을 면치 못한 상황이었다. 시나리오 작가를 꿈꾸며 나를 만날 때까지 서울 홍은동 단칸방에서 10여 년 자취를 해오던 차였다. 당연히 월세에 생활비까지 대느라 돈을 모으기는 어려운 형편이었다. 누군가에게 아쉬운 소리하는 걸 싫어하는 우리는 집에 손을 벌린다거나 기댈 생각을 하지 않았다. 아내와 결혼을 결심하며 둘이 가진 돈을 모두 털어봤다. 역시나 전셋집 하나 구하기가 어려운 상황이었다.

그럼에도 낙천적인 건지 세상물정 모르는 건지 결혼 준비 때부터 아내와 나는 주택을 사겠다고 이 동네 저 동네를 기웃거렸다. 당장 전세 치를 돈도 없었지만, 만약 집을 사게 된다면 아파트보다는 단독주택에 마음을 더 두고 있었기 때문이었다. 서울에서 연애할 땐 부암동이나 서촌, 계동 같은 주택가 동네를 좋아했다. 인천에서도 자유공원 아래 송학동, 내동, 전동같이 한적한 주택가 동네를 산책했다. 그렇게 걷다 따뜻한 불빛이 새어나오는 저 집들 어딘가로 아내와 함께 걸어 들어가는 상상을 하곤 했다.

"정 안 되면 옥탑방도 좋아."

어느 날 산책하다 툭 튀어나온 아내의 말이 귀엽기도 했지만 한편으로는 걱정이 되기도 했다. 청춘 드라마를 너무 많이 본 것인지 아니면 본인의 현실도 드라마틱하게 구성하고 싶은 건지, 아무튼 아내가 옥탑방에서 현실의 땅으로 착륙하기까지 시간이 필요해 보였다. 둘 중 하나는 정신을 차려야 했는데, 그나마 내가 빨라 보였다. 물론 나도 오락가락하긴 마찬가지였다. 당초 이 말을 한 건 나였으니까.

"집을 뭐 하러 사? 전세로 살면서 이 동네 저 동네 새로운 동네에서 살면 더 좋지 않나?"

그렇게 신혼부부 전세대출로 간신히 아파트 전셋집을 전전하며 살다 보니 '내 집'이 필요하다는 걸 깨달았다. 그렇게 6년. 세 번의 아파트 전세살이 후, 드디어 우리가 원했던 단독주택을 장만했다. 현실감각도 없고 저축말곤 돈을 불리는 방법도 몰랐던 우리가 주택을 살 수 있었던 방법이 있긴 했다. 쓸 거 안 쓰고 먹을 거 안 먹고 〈티끌모아 로맨스〉의 주인공들처럼 지독하게 돈을 모은 것은 아니었지만, 나름 저축도 하고 분수에 맞춰 사는 법도 터득했다. 또 벌이가 많지는 않았지만 둘 다 직장생활을 계속하며 안정적인 수익이 있었다. 아이가 없었기 때문에 양육비도 들지 않았다. 그리고 무엇보다 비교적 가격이 저렴한 구도심의 작은 주택을 선택했다.

2017년 말, 우리는 인천에 있는 22평 구형 아파트 전셋값으로 구도심에 위치한 대지 26평 건평 15평 2층 단독주택을 샀다. 여유가 있었다면 한적한 전원에 자리 잡은 마당도 넓은 주택을 선택했겠지만 구도심 주택은 현실적인 대안이 되어주었다. 한때 도시의 중심 역할을 했던 곳이기 때문에 교통 편리성도 나쁘지 않고 집은 낡았지만 고쳐 살면 그만이었다. 아파트처럼 투자가치는 덜해도 지금 내가 만족하며 산다면 나쁠 이유가 없었다.

"주택은 나중에 값이 안 오를 텐데."

주위 분들의 우려도 상관없었다. 우리에겐 현재를 살 집이 필요했던 것이지, 돈이 되어줄 미래의 집이 필요한 건 아니었으니까. 아파트는 투자가치가 있다고 생각하는 것만큼이나 아파트 전셋값으로 내 집을 살 수 있다는 것도 우리에겐 지극히 현실적인 생각이었다. 언제까지 대출을 늘려가며 아파트 전세 난민으로 살아야 할지 그래야 할 이유도, 더 이상의 자신도 없었다. 우리에겐 그게 더 버겁고 괴로운 비현실이었다. 우리가 가진 아파트 전세금으로 주택을 매입하고 이를 담보로 대출을 받아 집을 리모델링을 했다. 드디어 우리가 원했던 '독립적이고 아늑한' 집을 갖게 되었다.

선택의 다른 이름은 포기이다. 우리가 지금의 행복을 선택한 반면 아파트를 저당 잡아 '스스로 돈이 불어날 수 있는' 일종의 행운은 포기했다. 행운의 열차는 늘 너무 앞서 갔고, 그 뒤를 계속 쫓아가다가는 가랑이가 찢어질 것만 같았다. 우리는 그 아파트 게임의 궤도에서 한발 벗어나기로 했다.

"그때 내 말 듣고 아파트 샀으면 지금 돈 벌었잖아?"

이렇게 말하는 사람들 이야기에 가끔 속이 쓰리기도 하지만, 모두 다 올랐는데 혼자 좋아할 일도 아닌 것 같다. 누군가에게는 아파트에서의 삶이 더없이 편하고 좋을 수도 있다. 또 때가 되면 좀 더 넓은 새 아파트로 이사하며 재산을 불려나가는 재미로 집을 선택할 수도 있다. 내가 사는 집값이 오른다고 싫어할 이는 없을 테니까. 다만 우리에겐 피곤한 일이었고 피곤한 삶이었다. 끝없이 동분서주했던 지난 일은 생각만 해도 넌덜머리가 난다. 지금 무엇이 더 자신에게 소중한가는 가치의 문제이고 그 가치에 따른 선택은 각자의 몫이다.

요즘 부동산 대란, 전세 대란을 보면 안정적으로 살 수 있는 내 집을 선택하길 잘했다는 생각이 든다. 투자 목적으로 집을 산 이들이야 집값에 울고 웃을 테지만, 삶의 공간으로 집을 선택한 이들에겐 그런 조바심을 한편에 내려놓을 수 있어 안심이다. 집값이 오르건 말건 이사하지 않아도 되는 내 집이 있어서 다행이다. 우리에게 집은 이제 삶에서 가장 중요한 무엇, 아니 삶의 질 그 자체가 되었다.

구도심 주택에 살아보니 집을 '산' 것은 동네를 '사는' 것이란 걸 깨닫는다. 집은 삶 그 자체이고 내 집이 위치한 동네는 브랜드가 아니라 나를 둘러싼 관계망이다. 구도심 작은 동네의 좁은 관계망이 어떨 땐 불편하기도 하고 어떨 땐 즐겁기도 하다. 불행히도 아파트에 살 때 내게 이웃은 얼굴 없는 층간소음의 장본인일 뿐이었다. 혹여나 엘리베이터에서 마주치면 어색하고 불편한 존재였다. 하지만 지금은 그야말로 같은 공간을 사는 이웃이 되었다. 집 앞에 낙엽이 뒹굴면 낙엽을 쓸고 눈이 오면 눈을 같이 치워야 한다. 좋건 싫건 나는 나 혼자 사는 것이 아니며, 우리 가족만 잘사는 것만이 능사가 아니라는 걸 자연스레 깨닫는다.

코로나 이후 야외 공간이 있는 주택에 대한 관심이 커지고 있다. 공동주택보다는 개인 공간이 있는 단독주택에 호감이 생긴 것이다. 덕분에 집이 투자의 대상이 아니라 삶의 질을 결정하는 중요한 공간이라는 인식 변화도 함께 이뤄지고 있다. 어떤 집에 사느냐가 곧 어떤 삶을 사느냐를 결정하는 중요한 요소인 것이다. 집에 있는 시간이 많아지다 보니 단독주택에 사는 장점을 하나둘 발견하게 된다. 마스크 없이 옥상에서 바람도 쐬고 지하실 등 이런저런 공간이 있어서 집에 박혀 있어도 그나마 덜 답답하다. 집에 재밌는 공간이 있다는 것은 삶도 그만큼 재밌어질 수 있는 여지가 있다는 것이다. 오래된 단독주택에는 간혹 어이없는 공간이 있기도 하지만 잘만 고치면 이런저런 일을 꾸밀 수 있는 장소가 되어주기도 한다. 게다가 우리 동네처럼 도시재생 사업을 추진하는 곳들이 있어서 오래된 동네의 불편함은 점차 줄어들고 있다. 물론 그 변화 속도가 더디긴 하지만.

그래서 이 책은 이런 이야기이다. 코로나 시대, 아파트 대란 시대, 구도심 단독주택도 하나의 선택이 될 수 있다. 전원은 멀고 구도심은 가깝다. 그게 우리가 선택한 현실이다.

CONTENTS

CHAPTER 2.

집을 사니 동네가 왔다

ⓒ또에스

1.
나의 단독주택
구입기

"주택으로 이사했다며? 어디? 배다리?"

지인들은 우리가 단독주택으로 이사한 것에도 의아해했
지만 그 동네가 '배다리'라는 것에 다시 놀라곤 한다. 배다
리는 인천 사람들만 아는, 지도에는 없는 지명이다. 인천 동
구에 있는 오랜 구도심으로 금곡동, 창영동 헌책방 골목 일
대를 일컫는다. 학창 시절 돈이 궁한 인천 학생들이 책을 사
고팔던 곳. 멀쩡한 책을 팔아 용돈으로 쓰던 학생들의 전당
포. 서울로 치면 청계천이요, 부산으로 치면 보수동이다.

1950년대부터 1980년대 초까지 서민들로 붐볐던 번화가
였지만, 구도심의 운명이 그렇듯 지금은 주로 노인들이 남
은 초라한 동네가 되었다. 그나마 드라마 〈도깨비〉와 영화
〈극한직업〉의 촬영지로 알려지면서 사람들이 헌책방 정도

16

를 찾는다.

　오래전부터 이 동네를 배다리로 부르는 이유는 실제로 이
곳에 배가 다녔기 때문이다. 작은 배가 갯골을 따라 이곳 철
교까지 들어왔다고 한다. 바닷물과 배가 드나들던 곳. 지금
의 풍경으로는 도저히 상상이 안 가는 일이다. 그때의 모습
도 소리도 모두 사라지고 예쁜 이름만 남았다.

　"원래 그쪽에 살았어? 거기 뭐 하러 간 거야?"
　"아니. 살러 왔지. 동네가 조용하고 좋아."
　"그 동네는 집값이…… 얼마에…… 형성이……?"

　내가 방송 일로 〈인천의 노래〉〈인천의 소리〉같은 하도
예스러운 프로그램을 만들며 '인천! 인천!' 하니까, 집까지
진짜 원조 인천 구도심으로 간 줄로 아는 이들이 있다. 배다
리에는 책방을 비롯해 문화 활동가 분들이 계셔서 마치 그
런 운동 차원으로 이사를 한 걸로 이해한 분도 있었다.
　하지만 우리가 인천의 구도심으로 이사한 것은 정말 현실
적인 이유, 바로 '돈' 때문이었다. 아내와 나는 결혼 준비 때
부터 주택을 찾았다. 1층 상가 2층 주택. 일명 주상복합. 이
것이 나와 아내의 로망이었다. 커피를 좋아하는 아내는 1층
에서 카페를 하고 2층은 주거생활 공간으로 쓴다면 모든 게

행복할 것만 같았다.

　주말이면 내가 좋아하는 인천의 동네 이를테면 신포동, 중앙동, 송학동, 송월동, 북성동, 전동 일대의 집을 보러 돌아다녔다. 자유공원 아래 이 동네엔 낡았지만 고풍스러운 가옥들이 남아 있었다. 그걸 잘 고쳐 살면 어떨까. 하지만 문제는 역시 돈. 사실 우리는 가진 돈이 없었다.

　"얼마까지 생각하세요?"

　"네? 한 1억 원…… 정도요?"

　"수중에 갖고 있는 돈이 현재 얼맙니까?"

　"아…… 네. 그게 지금 다 해서 5천만 원 정도…… 대출을 받으면……."

　부동산 어르신은, 내 착각일지 모르지만 나를 좋아했다. 자신과 성과 항렬까지 똑같다며 이왕이면 좋은 집으로 꼭 소개하고 싶다고 열의를 보이셨다(2년 뒤 우리가 다시 나타났을 때도 마찬가지였다. 심지어 본인과 내 이름이 비슷했던 것까지 기억하셨다). 하지만 우리가 가진 돈을 알게 되자 '세상물정 모르는구먼' 하는 표정을 지으셨다. 이 역시 내 착각일지 모르지만.

"주택은 아파트와 달리 담보대출이 얼마 안 나와요. 현실에 맞는 걸 찾는 게 좋을 것 같아요. 찾아보면 있을 거예요. 제가 찾아볼게요."

어르신의 냉정한 듯 딱 부러지는 말투에 주눅이 들긴 했지만 그래서 오히려 더 믿음이 갔다. 부동산 어르신은 몇몇 집을 보여주었는데 그곳에 사는 분들의 신상까지 훤히 파악하고 계셨다. 이 동네를 꿰고 있는 터줏대감이 분명했다.

하지만 우리가 가진 돈으로 마음에 드는 집을 찾기란 불가능했다. 결국 우리는 1990년대 초 신도시로 개발된 연수동의 가장 작은 아파트로 신혼 전셋집을 구했다. 정부에서 주는 디딤돌 전세자금 대출을 받아 그나마 이자를 덜 물 수 있었다.

집을 보러 다닐 때는 호기롭게 대출 이야기를 꺼냈지만 '세상물정 모르는' 아내와 나는 대출을 많이 받으면 세상 큰일 나는 걸로 알고 살았다. 그리곤 집을 갖고 있으면 재산세니 취득세니 세금만 많이 내는 거 아니냐며 서로를 위안했다. 그러면서도 '괜찮은 집이 한 채 있으면' 하는 이중적인 생각이 늘 마음 한구석에 있었다.

그러다 어느 날 우연히 책에서 본 '협소 주택'이란 도심

속 작은 주택에 대해 알게 되면서, '작고 싼 구도심 주택'을
고쳐 살면 되겠구나 하는 구체적인 목표가 생기게 되었다.

2년마다 전세 계약이 끝나갈 때면 우리는 다시 구도심 동
네로 집을 보러 다녔다. 단독주택에 대한 미련을 버리지 못
하기도 했고 옛 동네를 산책하는 그 자체가 좋아서기도 했
다. 주택가를 돌아다니며 집을 보는 것은 산책이자 운동이
요 데이트이자 어느새 즐거운 취미가 되어버렸다.

나중엔 부동산을 계속 기웃거리는 것도 미안해서 네이버
부동산에 나온 집을 찾아가 보거나 밑도 끝도 없이 경매로
나온 집을 보러 가기도 했다. 그 사이 아파트 전세금은 계속
올라가고 이사도 몇 차례 하다 보니 '아, 이제는 정말 집이
있으면 좋겠다'는 생각이 절실해졌다.

그래서 집을 보러 다니는 반경을 넓히다 발견한 곳이 지
금 우리가 살고 있는 동네, 배다리였다. 국철 1호선 도원역
과 가깝고 급행전철이 다니는 동인천역과도 멀지 않은 위
치. 좋게 말하면 '더블 역세권'이고 안 좋게 보면 역과 역 사
이 애매한 곳인데 아무튼 '겁나 뛰면 2분' 역세권은 맞았다.
서울 갈 일이 종종 있는 아내는 1호선 국철과 가까운 걸 무
엇보다 흐뭇해했다.

배다리를 근거로 문화 활동을 하는 분들 몇을 아는지라 매물로 나온 집을 알아봐 달라 부탁했다. 나름 이 동네 마당발들이었는데 생각보다 성과는 없었다. 결국 동네 부동산을 찾았는데, 부동산에서 보여준 집들은 대체로 별로였다. 집이 너무 크거나 좁은 골목 안쪽에 있어서 답답해 보였다. 그보다 나온 매물 자체가 별로 없었다.

그러다 어느 날 부동산에서 전화가 왔다. 찾고 있는 게 이런 집 아니냐며 보여준 초등학교 앞 이층 벽돌집. 이곳을 보자마자 '그래, 이 집이 우리 집이구나' 하는 생각이 들었다. '자기 집은 척 보면 안다'고 하는 게 바로 이런 말이구나 하는 느낌이었다.

고백하자면 나는 빨간 벽돌집 성애자이다. 오래된 건물들 특히 근대에 지어진 장밋빛 벽돌 건축물을 보러 다니는 취미가 있다. 시간이 나면 아내와 함께 근대건축물을 찾아 소도시들을 여행했다. 우리가 집을 보러 다니던 자유공원 아래 동네가 좋았던 이유도 그런 근대건축물들이 많아서였다.

하지만 지금 우리 앞에 있는 집 벽돌은 안타깝게도 빨갛다기보다 검붉어서 거무튀튀했다. 1980년대 지어진 벽돌집이었다. 하지만 실망도 잠시. 내가 좋아하는 오래된 빨간 벽돌 건물 학교가 바로 이 집 앞에, 그것도 거대한 크기로 떡

하니 자리하고 있는 것이 아닌가! 100년도 더 된 자체발광 붉은 벽돌. 그게 내 것이 될 수 없다면 그 앞집이면 어떠리.

"평수는 작아도 둘이 살기 괜찮고 저 앞에 공영주차장이 있어서 주차장도 따로 필요 없어요. 집은 좀 낡았지만 고쳐 쓴다고 했죠?"

"네, 그러네요. 이 집은 얼마죠?"

단독주택살이 봉봉's 팁

1. 주택 구매 시, 살고자 하는 집도 중요하지만 동네가 더 중요하다고 생각해요. 재개발 가능성은 없는지, 근처에 빌라가 들어설 계획은 없는지 등을 잘 살펴보세요. 뻔한 이야기이지만 평소 마음에 드는 동네를 자주 찾아가 이런저런 정보를 수집하는 '발품팔이'가 가장 좋은 방법입니다.

2. 주택 매매 가격을 제공하는 앱들을 활용해보세요. 디스코, 밸류맵 등 실거래가를 알려주는 앱을 통해 토지, 건물 등의 가격을 쉽게 알 수 있습니다. 부동산에 들어가지 않고도 이 동네는 가격이 얼마에 형성되었는지 가늠할 수 있는 방안이겠죠.

3. 주택을 찾는 여러 방법이 있어요. 지인, 집 구하기 앱, 동네 마당발, 부동산 등등. 저희 경험으로는 이 가운데 터줏대감 부동산이 가장 좋았어요. 집뿐만 아니라 동네 전체를 훤히 알고 있는 분들입니다. 물론 솔직한 중개인을 만나야 하는 경우의 수는 있지만요.

4. 혹시 저희처럼 재산세 내는 걸 걱정했다면 그러지 마세요. 재산이 커야 세금도 큽니다. 하지만 취득세는 따로 준비해두세요. 부동산을 매입하면 취득세와 농어촌특별세 그리고 지방교육세를 내야 해요. 다행히 2020년 8월부터 생애 최초로 주택을 구입하는 경우 취득세 50%가 감면되었습니다. 단, 자격조건이 있으니 잘 살펴보세요.

오션 뷰와 리버 뷰 부럽지 않은 옥상 뷰.

오래된 학교를 바라보는 것만으로도 왠지 마음이 평온해집니다.

주차장 사수작전

부동산에서 보여준 학교 앞 이층집은 우리가 찾던 그런 집이었다. 평수는 작았지만 2층이라서 리모델링하면 딱 맞을 크기. 또 바로 앞이 초등학교라 집 앞으로 높은 건물이 들어올 가능성도 없었다. 골목길 안쪽 집이 아니라 일방도로를 끼고 있어 하루 종일 햇볕도 잘 들 것 같았다.

무엇보다 구도심 주택의 가장 큰 골칫거리인 주차 문제도 집 앞에 공영주차장이 있어서 한시름 놓을 수 있었다. 주차하는 차들이 많지 않은지 다행히 주차장엔 늘 한두 자리가 비어 있었다. 구도심의 한적한 동네라 생각지도 못했던 이런 장점이 있었다.

구도심 단독주택을 보러 다니며 가장 걱정했던 것 중 하나가 주차 문제였다. 주차할 곳이 없어서 남의 집 앞에 차를 대고 이런 일로 얼굴 붉히는 일들이 많다고 들었다. 심지어 남의 동네에 차를 대고 멀리 걸어 다닌다는 이야기도 들었다. 더군다나 우리처럼 작은 집에는 주차장을 따로 만들 수도 없는 노릇이니, 집을 보러 다니며 '이 집은 주차를 어떻게 하나?' 하는 물음표가 늘 따라다녔다.

그동안 봤던 집들 중에 마음에 들긴 했지만 주차가 어려울 것 같아 포기한 집도 있었다. 부동산에서는 집 앞 도로에 차를 그냥 대도 된다고, 다들 그렇게 산다고 했지만 정작 책임질 일도 아니면서 중요한 문제를 쉽게 말하는 것 같았다.

아무튼 우리가 선택한 학교 앞 이층집은 여러 가지로 마음에 들었다. 하지만 생각지도 못했던 문제가 다른 곳에서 일어나고 있었다. 우리가 계약한 뒷집은 문방구로 할머니가 홀로 가게를 지키셨다. 또 그 뒤는 우리가 계약할 때만 해도 공터였다.

흘러가는 말이라도 빈 공간에 뭐가 들어서냐고 부동산에 물었어야 했다. 이사를 앞두고 집을 보러 올 때마다 무언가 공사의 조짐이 보이더니, 아뿔싸! 어느새 빈 공간에 슬금슬금 건물이 올라가는 게 아닌가. 크기도 널찍해서 이거 그냥 주택이 아닌 거 같다는 불길한 예감이 들기 시작했다.

불길한 예감은 틀리는 일이 없는 법. 그제야 부동산에 물어보니 5층짜리 신축 빌라가 올라가는 중이라는 것이 아닌가. 그것도 자신이 거래를 성사시킨 거라며 이제 동네가 사람 사는 것처럼 북적북적할 거라며 남의 속도 모르고 자랑을 하셨다.

'아…… 안 돼. 이런 젠장.'

불행 중 다행이라면 빌라가 올라가는 곳은 우리 집 뒤편으로 그나마 햇볕을 가릴 일은 없을 듯했다. 이사 날짜까지는 두 달 정도 시간이 남았는데, 빌라는 하루가 다르게 올라가고 있었다. 1층, 2층, 3층 건축 속도는 왜 그렇게 빠른지 가끔 들를 때마다 빌라는 제법 모양을 갖추며 낮은 주택들 사이에 홀로 거대한 성이 되어가고 있었다. 대부분 단층 건물과 2층 주택이 빼곡하던 동네에 갑자기 5층 빌라가 들어서는 모양이 마음에 들지 않기도 하고, 동네 풍경과도 영 어울려 보이지 않았다.

"아니, 도대체 왜? 학교가 지정문화재라며 이래도 되는 건가?"
"구도심에도 스카이라인이란 게 있는 거 아냐? 이건 너무 심한데?"

"아, 그런데 이러면 우리가 옥상에 있을 때 빌라에서 우리가 다 보이겠는데?"

"그렇겠네. 옥상에 테라스를 만들고 싶었는데. 흑흑."

"그것도 그렇지만 그럼 혹시 공영주차장에 차를 대기 힘들어지는 거 아닐까?"

"뭐?"

공영주차장이 있어서 다행이라 생각했던 주차 문제가 다시 위협받기 시작했다. 빌라 자체 주차장이 빌라 전 세대를 감당할 수 있을지 의문이 들었기 때문이다. 마치 집 앞 공영주차장을 우리가 전세라도 낸 것인 양, 사수를 해야 할 것 같았다.

그러고 보니 우리 앞집 방향도 걱정이었다. 동네가 재개발지정지구에서 해제되면서 한밑천 노렸던 사람들이 하나둘 빠져나가고 그런 집을 통째로 사들여 빌라를 짓는 곳들이 점점 늘어나지 않을까. 그게 우리 앞집이면 어떡하지? 하필이면 앞쪽 길모퉁이가 가건물이어서 언제라도 새 건물이 올라가기 쉬워 보였다. 한번 빌라가 올라가기 시작하면 동네 전체가 빌라 촌으로 바뀌지 않을까. 갑자기 걱정이 눈사태처럼 늘어나기 시작했다.

"앞집 할머니 혹시 집 파실 거면 우리한테 팔라고 하자."

"그럴까? 그런데 자기 돈 있어?"

"아니. 풋."

우리는 돈을 빨리 벌어서 대출금도 갚고 앞집도 사기로 했다. 또 그 앞 모퉁이 집도 사서 우리 집 앞 방향으로 빌라가 올라가는 걸 막기로 했다. 그런데 그러다 보면 우리가 동네 유지가 되는 것 아니냐며 깔깔 웃었다. 그렇게 이사 날짜는 다가오고 있었다. 다시 말해 잔금을 치러야 할 날짜 그리고 동시에 리모델링 비용을 지출해야 할 날이 다가오고 있다는 뜻이었다. 가진 돈을 모두 탈탈 털어 잔금을 치르면 수중에는 이제 한 푼도 없다는 뜻이기도 했다.

1. 구도심 주차문제는 아파트 층간소음과 같은 난이도의 문제예요. 집에 주차장을 마련할 수 없다면 매입하려고 하는 집 근처에 주차할 만한 곳이 있는지 반드시 확인하는 게 좋습니다. 2020년부터 서울시에서는 도시재생활성화지역 내에서 소규모 건물을 신·증축할 경우 주차장 의무 설치를 면제해주기로 했습니다. 저희처럼 주차장 문제로 주택을 신축하는 것에 대한 어려움을 반영한 조치인 거죠. 단, 주변에 공영주차장이 있을 경우에 한해서라고 하니 공영주차장을 잘 찾아보시죠!

2. 각 지자체 별로 자기 집에 주차장을 만들면 그 공사비용을 지원해주는 사업들이 있어요. 인천의 경우 '그린 파킹(Green Parking) 사업'이 있습니다. 이웃이 상호 동의하는 경우 인접 주택 사이에 공동설치도 가능하다고 하네요. 안전을 위해 현관문 교체 및 방범창, 무인방범시스템 설치비도 지원해주는 사업이 있다고 하니 지자체의 보조금을 활용해보세요. 타 지자체에도 유사한 제도들이 있습니다.

인터뷰 건축사들과의

우리가 구도심 주택에 살기로 결심하며 바란 것은 딱 하나였다. '독립적이고 아늑한' 우리만의 공간을 갖는 것. 아파트 층간소음과 남의 집에 전세로 사는 불편함을 더 이상 참고 싶지 않았다. 이제 단독주택을 계약하며 바라던 '독립성'은 확보했고 남은 과제는 '아늑함!' 그런데 이 아늑함이란 개인마다 모두 달리 느끼는 취향의 영역이어서 끝없는 고민과 선택을 요구했다. 쉽게 말해 시간과 돈이 드는 일이다.

우리가 매입한 집은 대지 26평에 건평 15평 2층 건물로 초등학교 앞 한적한 일방통행 도로를 끼고 있다. 1980년대에 지은 벽돌집은 겉은 튼튼해 보였지만, 그동안 너무 관리를 안 한 탓에 여기저기 손볼 데가 많았다. 요즘은 셀프 인테리어 공사를 하는 사람들도 많지만, 당시 우리에겐 그런 재주도 시간적 여력도 없었다. 방법은 우리의 바람을 가장 잘 실현해줄 수 있는 업체를 찾는 것이었다.

인테리어 사무실과 건축사 사무실 둘 중 어디에 맡길까 고민하다 '협소 주택'을 전문으로 하는 건축사를 찾기로 했다. 아무래도 대대적인 공사를 하다 보면 구조변경이 필요할 수도 있을 것 같아 건축사에게 설계를 맡기는 게 나을 듯했다. 협소 주택 시공 관련한 책과 인터넷을 뒤졌다. 그중 그간 해온 작업이 우리 취향과 비슷한 업체를 찾았다. 서울에 사무실이 있었다.

메일을 보내자 전화가 왔다. 자신들의 사무실에서 '인터뷰'를 하자고 해서 인천에서 신사동까지 가깝지 않은 길을 찾아갔다. '상담'이 아니라 '인터뷰'를 하자고 한 것이 좀 색달랐다. 이들은 인터뷰를 통해 공사를 맡을 수도 아닐 수도 있다고 했다. 이 바닥은 잘못하면 일명 '눈탱이'를 맞는 일이 많다고 하도 들어온 차라, 긴장의 끈을 놓을 수 없었다. 그렇다면 인터뷰를 통해 우리도 그들을 검증하면 될 터. 남녀 건축사 두 명이 우릴 맞았다. 신사동이라 그런지 둘 다 영어 이름을 썼다. 정신 똑바로 차리자. 이중 면접이 진행되었다.

"결혼은 언제 하셨어요?"

"5년, 아니 6년쯤 됐어요."

"주택에 살기로 한 이유가 뭔가요?"

"아파트가 지겨워서요. 층간소음도 괴롭고."

"어떤 색을 좋아하세요?"

"네? 글쎄요. 생각을…… 그냥 밝은 색? 자기는?"

"오래 살 집을 원하세요? 아니면 몇 년 살다가 이사하실 계획인가요?"

"최소 10년요. 좋으면 계속 살고요."

"집은 어디에 있죠? 어떤 동네인가요?"

"인천 구도심이에요. 1호선 근처 옛날 동네."

건축사 사무실은 생각보다 작았는데 우리가 앉은 테이블 주변에는 그동안 이들이 작업해온 건축 모형들이 일렬로 세워져 있었다. 잡지에나 나올 것 같은 집들이었다. 우리 집도 저렇게 예쁘게 환생할 수 있을까.

"그 동네로 집을 구한 이유가 있나요?"

"동네가 한적해서 괜찮고……. 저희가 책을 좋아하는데 헌책방도 있고…… 오래된 건축물도 있어서 좋아요. 무엇보다 집값이 맞았어요."

"남편분과 아내분이 좋아하는 걸 각자 얘기해주실래요?

집에 관한 게 아니어도 좋아요. 취미 같은 것?"

"네? 그게…… 그러니까."

미심쩍었던 것과 달리 인터뷰는 재밌었다. 팔짱을 끼고 우리도 당신들을 검증하겠다는 생각은 어느새 잊어버리고 말았다. 이들이 펼쳐놓는 질문의 거미줄에 홀랑 빠져버린 기분이 들었다. 그 거미줄은 포근하게 우리를 감싸주었다. 게다가 촘촘하고 견고해서 우리가 원하는 집을 지어줄 것만 같았다. 그게 허공에 지은 집이라 해도 그 순간만큼은 너무나 달콤해 지상의 좁은 땅으로 다시 내려오고 싶지 않았다.

건축사들의 관심은 '우리가 매입한 집이 어떤 집이냐'보다는, '우리가 집에 대해 어떤 생각을 하고 있느냐'인 듯했다. 그 부분이 마음에 들었다. 그 와중에 나는 직업병이 도져 이들과 건축에 대한 팟캐스트를 해보면 어떨까 하는 생각이 들었다. 지금 우리와 이야기하는 것 자체를 녹음해서 들려주는 것이다. 아니 내가 지금 이럴 때가 아니지. 정신줄 놓으면 안 돼!

상담을 하다 보니 집에 대한 아내와 내 생각이 많이 다르다는 걸 깨달았다. 2시간 넘게 진행된 인터뷰는 마치 부부 상담처럼 흘러갔다. 하마터면 TV 〈아침마당〉에 나온 부부처럼 결혼생활 넋두리를 처음 만난 건축사들에게 할 뻔했다.

생각해보니 아내와도 이런 구체적인 이야기를 나눈 적이 없었다. 같이 살면서도 집에 대한 아내의 생각을 나는 잘 모르고 있었다. 그도 그럴 것이 우리는 늘 돈에 맞춰 완성된 집을 찾아 헤맸지, 우리가 집을 상상하는 일로 헤맬 수 있을 거라고는 생각지 못했다.

우리도 그들에게 궁금한 것들을 이것저것 물어보았다. 나도 사람 만나는 게 일이라, 이야기를 하다 보면 '견적'이 딱 나온다고 생각했다. 하지만 꾸밈없고 경쾌한 이들이 점점 마음에 들었다. 이들만 괜찮다면 밤을 새워 이야기를 더 나누고 싶었다.

"저희는 같이해도 좋을 것 같네요. 일을 진행하게 되면 다음에 집을 보고 이야기하시죠. 계약금은 100만 원입니다. 상의해보시고 연락 주세요."

합격! 면접에 합격했다. 이렇게 기쁠 수가. 이제 우리는 돈만 지불하면 된다. 비용은 우리가 지불하는데 합격 통보는 그들이 했다. 우리도 그들을 검증하겠다던 이중 면접은 일방적인 것이 되어버렸다. 그래도 기분이 나쁘지 않았다. 이 얼마 만에 느껴보는 합격의 기분인가.

1. 주택을 샀다면 그다음에 가장 중요한 일은 집을 고치는 일입니다. 간단한 리모델링을 한다면 인테리어 업체를 선택하면 되지만 대공사를 염두에 둔다면 건축사와 상담하는 게 좋아요. 업체들을 찾는 건 집을 구하는 것만큼이나 어렵더군요. 역시 집을 구할 때처럼 발품과 손품을 팔아야 합니다. 업체들의 포트폴리오를 보고 자신이 원하는 스타일과 일치하는지 잘 따져보는 수밖에 없어요. 물론 믿을 만한 곳의 추천도 좋겠죠.

2. 저희는 건축사 사무실에서 설계와 시공을 모두 했어요. 건축법상 설계와 시공은 분리되어 있지만, 우리가 계약한 곳은 설계와 시공 면허를 각각 갖추고 있었습니다. 이야기를 들어보니 설계대로 시공하지 못하는 것이 늘 아쉬웠다고 하더군요. 시공까지 하는 것은 저희 집이 처음이라 비용을 할인해주는 거래를 했어요. 물론 그만큼 위험도 따랐습니다.

3. 리모델링 비용은 업체마다 천차만별입니다. 최대한 많은 곳에서 견적서를 받아 비교해보는 게 좋아요. 저희가 계약한 곳에서는 자재비는 체크카드로 건별 계산하고, 설계비와 시공비는 별도 책정한 금액을 제시했어요. 저희도 이 방법이 합리적이라 생각했습니다.

4. 리모델링에 대해 공정거래위원회에서 마련한 〈실내건축·창호 공사 표준계약서〉라는 것이 있어요. 시공 업체와 계약을 할

때 이를 표준으로 삼는 것이 좋습니다. 공사의 시작과 종료에 대한 명시와 보증, 공사 대금 지급 방법, 공사 하자 시 보수 기간 등 건축주에게 필요한 사항을 명시하도록 되어 있으니, 이 부분을 반드시 확인하고 계약하는 게 좋습니다.

건축사들의
가정방문

　　　　다음 인터뷰 장소로 건축사들은 우리 집을 선택했다. 집에 대한 생각을 말로 듣는 것보다 어떻게 살고 있는지 직접 눈으로 확인하고 싶다는 것이었다. 일종의 가정방문이었다. 어떤 색을 좋아하는지, 가구는 뭐가 있는지, 구조와 인테리어는 어떤 스타일을 선호하는지 그런 것들을 보고 싶어했다.

　하지만 가정방문은 그리 반가운 일이 아니다. 지금 우리가 사는 집이, 우리가 바라는 바를 제대로 설명해줄 리 없기 때문이었다. 생각해보면 학창 시절부터 가정방문은 그리 달가운 일이 아니었다. 당시는 누구를 집에 초대할 만한 형편도 안 되었고 그래서였는지 방문의 의도 또한 탐탁지 않았다.

　건축사들의 가정방문은 그와는 다른 의도였지만 지금 우

리가 살고 있는 전셋집 역시 우리 취향이나 욕망이 전혀 들어가지 않은 '남의 집'일 뿐이었다. 우리 집도 아닌 곳에 돈을 들이고 싶지 않아 지저분한 것만 가리고 살고 있는 상황이었다. 그런데 이곳에 와서 우리가 바라는 집의 미래를 가늠한다는 게 영 못마땅했다.

당시 우리가 살던 아파트는 결혼 후 세 번째로 얻은 전셋집이었다. 결국 또 돈에 맞춰 아파트를 구해야 하는 처지였는데 이 집을 선택한 이유는 베란다 창을 가리는 것이 아무것도 없기 때문이었다. 아파트 단지 맨 앞 동의 위엄, 정남향 창을 통해 쏟아지는 햇살을 하루 종일 받을 수 있는 것이 이 집의 장점이었다.

하지만 그것도 잠깐의 행복이었다. 그 햇살이 쏟아지는 베란다 외부창이 알루미늄 창호였다는 걸 이사하고 나서야 뒤늦게 발견했다. 맙소사. 아내도 나도 전셋집 구하기가 너무 어려운 나머지 그런 것까지 미처 살펴보지 못했다. 이 집을 선택한 단 한 가지 장점에 금이 가는 순간이었다. 그래도 위안을 삼자면 그나마 지하철역에서 집까지 걸어오는 길에 봄이면 벚꽃이 흐드러지게 피어 걸을 맛이 난다는 정도였을까.

이 집을 선택한 또 다른 이유 아닌 이유도 있었는데, 바로 우리가 살던 아파트 근처였기 때문이었다. 물론 그 전에 살던 집도 그 근처였다. 자신이 살고 있는 반경을 벗어나기란 쉽지 않은 일이라는 걸 그때 깨달았다. 마치 누군가 경계선을 그려놓고 주문을 건 것처럼 그 테두리를 벗어나기가 쉽지 않았다. 그러니 아파트 외의 집 형태를 상상하기란 더 어려울 수밖에.

우리가 처음 얻은 신혼집은 연수동의 작은 아파트였다. 인천 연수동은 1990년대 초 아파트들이 대거 들어선 신도시였다. 그래서 건축 연도가 이미 25년씩은 넘은 아파트들이 많았다. 우리가 계약한 13평 아파트도 마찬가지였는데 이 역시 돈에 맞추려면 다른 답안이 없는 상황이었다. 빌라를 생각해보기도 했는데 그래도 아파트가 살기 편하다는 주위 말을 들어 작은 평수의 집을 선택했다.

첫 아파트를 계약한 날을 잊을 수 없다. 우리의 신혼집이었기 때문이 아니라 집주인 때문이었다. 계약서를 작성하는 집주인의 손목과 손가락에서 반짝이던 큼직한 금붙이들. 소위 '아파트 복부인'이라 추정되는 이들의 실물을 그때 나는 처음 보았다. 집주인은 이 집말고도 아파트를 몇 채 더 갖고 있다고 했다. 그래서 그런지 손이며 목이며 걸고 낄 수 있는 거의 모든 곳에 보석과 금붙이를 훈장처럼 달고 있었다. 아파트를 한 채 매입할 때마다 기념으로 하나씩 다는 걸까. 그러면 이 분은 도대체 아파트를 몇 채나 갖고 있다는 말인가. 계약서를 작성하며 쓸데없는 생각만 하다가 도장을 찍으라는 곳에 대충 찍고 일어섰다.

우리의 첫 아파트는 아늑했다. 오래된 아파트가 그렇듯 아파트 동과 동 사이가 멀어서 해를 가릴 일도 없고 그 거리만큼 사생활도 보장되었다. 우리가 살던 곳은 2층이었는데 앞에 큰 나무들이 베란다를 가려주어서 커튼을 열면 짙은 녹음이 우릴 맞이했다. 어느 순간에는 마치 우리가 전원 속에 살고 있는 건가 하는 착각이 들기도 했다.

아파트 단지 안에 있던 놀이터와 공원은 기이할 정도로 넓었다. 요즘 같았으면 아마도 아파트 두세 동은 더 들어서고도 남을 크기였다. 그 공원을 통해 아파트를 빠져나가면 산책길이 이어졌는데, 아내와 나는 벚나무가 늘어선 그 길을 좋아했다. 시간이 날 때마다 그 길을 따라 아파트 단지들이 만들어놓은 거대한 콘크리트 숲을 유유히 산책했다. 오래된 아파트 단지에는 키 큰 나무들이 많아서 대규모 아파트 단지의 답답함을 잊기에 좋았다.

대체로 우리는 첫 아파트에 만족하며 살았다. 안방을 크게 만들었던 옛날식 구조가 아쉬웠지만, 동네도 한적한 곳에 있어 그런 차분함을 좋아하는 우리에겐 어울리는 곳이었다. 하지만 아무래도 집 크기가 작은 것이 흠이어서 2년 계약이 끝나고 우리는 좀 더 넓은 곳을 알아보기로 했다.

사실 집주인이 집을 팔겠다고 하지 않았다면 그 집에서 더 살고 싶은 마음도 있었다. 집주인은 우리에게 그 집을 사는 건 어떻겠냐고 권유했지만 그때까지만 해도 전세로 이사 다니면 되지 굳이 집을 살 이유가 없다고 생각했다. 게다가 보일러가 너무 낡아 교체해야 할 상황이었는데, 그걸 우리가 떠안고 싶지도 않았다. 생각해보면 세상물정 모르던 시기였다. 보석을 훈장처럼 달고 다니는 집주인이 이런 내막을 알았더라면 참으로 귀엽다고 할 일이었다.

두 번째로 얻은 아파트도 처음 살던 곳에서 그리 멀지 않은 곳에 있었다. 당시 내가 다니던 회사가 사옥을 옮긴다는 이야기가 있어 일부러 지하철 역 근처로 집을 알아보다 계약한 곳이었다.

이 아파트도 오래된 것은 마찬가지였는데 지하철역이 가깝고 이전보다 평수가 넓어서 대출을 그만큼 더 많이 받아야 했다. 겨우 대출금을 갚았는데 다시 대출 인생이 시작되었다. 그때만 해도 대출이 많으면 큰일이 나는 걸로 그렇게 생각하던 때였다. 둘 다 너무 '깔끔 떠는' 성격이어서 대출 또한 빚이고 빚은 그 어느 누구에게도 지고 싶지 않았다. 세상물정을 몰라도 너무 몰랐다. 보일러 교체 비용이 아까워 아파트를 사지 않은 것보다 더한 일이었다.

첫 번째 살던 아파트가 한적한 곳에 있었다면 두 번째 살던 아파트는 번화가에 있었다. 집을 나서면 술집과 상가들이 무성한 그런 곳이어서 이용할 때는 좋지만 살기에는 번잡스러웠다. 창문을 열면 시끄러운 소음이 몰려왔다. 게다가 이 집은 층간소음이 너무 심했는데 심지어 윗집에서 화장실 물 내리는 소리까지 다 들릴 정도였다. 어떨 땐 서랍을 여는 소리까지 들려 '아파트 이름처럼 모두 대동단결하며 살아야 하는 건가'라는 농담을 하곤 했다.

좋아서라기보다 어쩔 수 없어 그냥 살아야 했다. 그래도 더 살겠거니 했는데 2년이 지나자 집주인이 또 집을 팔겠다 하여 다시 집을 구해야 하는 처지가 되었다. 그때만 해도 순진한 우리는 왜 아파트마다 집주인들이 그렇게 집을 팔아치우는지 알지 못했다. 그런 것이 일종의 '갭 투자'라는 걸 뒤늦게 알았다.

2015년 당시에도 아파트 전세를 구하기가 쉽지 않았는데, 세 번째로 구한 집은 정말 울며 겨자 먹기로 선택한 곳이었다. 이전에 살던 아파트보다 나을 것이 전혀 없었지만 전세금은 더 비쌌다. 당시까지만 해도 무리해서라도 집을 사야겠다는 생각을 전혀 하지 못했다. 게다가 아파트 값이 폭락할 거란 소문이 있어서, 이러다 아파트 전세금도 못 돌려받는 게 아닌가라는 걱정마저 해야 했다. 물론 그것은 나의 생각이었다. 아내는 생각이 달랐는데 작은 아파트는 절대 가격이 떨어지지 않는다는 것이었다. 하지만 나는 앞으로 경제가 폭락할 수도 있어서 심지어 전세가 아니라 월세를 살아야 한다고까지 생각했다. 세상물정 모르는 삶은 계속되었다.

그렇게 구한 세 번째 집은 정말 마음에 드는 것이 정말 하나도 없었다. 외관도 오래되어 낡아 보였는데, 아파트 복도며 엘리베이터까지 지저분해서 오히려 가장 작고 저렴했던 첫 집이 그리울 정도였다. 게다가 층간소음은 더 가관이어서 도대체 이게 어디서 나는 무슨 소리인지 가늠할 수조차 없는 기괴한 소리들이 매일 우리의 정신을 갉아먹고 있었다. 남들처럼 우리도 윗집에 올라가 얼굴을 붉히는 상황을 감수해야 했다. 그런데 알고 보면 범인은 윗집도 아닌 그런 상황이 반복되었다.

나중에 들어보니 이 아파트는 건축 당시부터 부실공사였다는 소문이 있었다. 사는 사람 잘못이 아님에도 소음에 대한 책임은 사람에게 떠넘길 수밖에 없었다. 모두가 가해자이자 피해자였다. 아내와 나는 잠귀가 예민해서 층간소음을 견디기 위해 귀마개를 하고 자야 했다.

이런 곳에 우리가 꿈꾸는 집을 설계해줄 선생님들이 가정 방문을 온다는 것이었다. 집에 대한 우리의 로망을 실현해 줄 건축사들에게 '이게 우리 집입니다'라고 하기에 너무나 부끄러울 지경이었다. 건축사들이 집을 둘러볼 때마다 옆에 쫓아다니며 '아닙니다. 이 집에는 우리가 바라는 삶이 없어 요'라고 항변을 하고 싶을 정도였다.

우리가 내내 살던 집이었음에도 우리는 우리 집을 부정해 야 했다. 월세나 전세도 자기가 사는 곳이라면 자기 집인데, 우리는 그런 삶을 살지 못했다. 임시적인 거처는 늘 임시적 인 삶을, 어딘가 늘 모자란 삶을 설계하도록 했다. 우리가 있을 곳은 '여기가 아닌 다른 어딘가'라고 생각하지만 결국 제자리로 돌아오는 그런 삶이었다. 전세살이가 지겨운 건 층간소음말고도 이런 이유가 있었다.

세 번의
야반도주

　　　　　　이사 갈 집을 계약했는데 이사 날짜가 맞지 않았다. 우리가 살던 전셋집은 10월 중순에 빼줘야 하는데 우리가 들어갈 집 리모델링 공사는 11월 중순에나 끝날 예정이었다. 리모델링을 고려해서 무리한 대출로 매매를 서둘렀건만 하필이면 추석이 끼는 바람에 공사기간이 늘어난 것이다.

　어쩔 수 없이 거의 한 달을 밖에서 지내야 했다. 어디서 한 달을 버텨야 하나. 엄마네로 들어가기는 그렇고 그렇다고 한 달 살 집을 빌리기에는 돈도 없었다. 나는 엄마네로 아내는 서울 사는 친구네 집으로 가는 것도 생각해봤지만, 이 역시 쉽지 않았다. 모든 게 막막했다.

　그런데 아픈 건 소문을 내라고 했던가. 우리의 딱한 사정을 듣고 온정의 손길이 이어졌다. 송도에서 과외방을 하는 아는 형이 괜찮으면 와서 지내라는 거였다. 과외는 아파트에서 하는데 초저녁부터 밤 10시까지만 하니 나머지 시간은 우리가 지낼 수 있었다.

그런데 뜻하지 않은 곳에서 더 좋은 소식이 날아왔다. 결혼 후 제주로 내려간 회사 후배가 그동안 자신이 지내던 송도 오피스텔이 비었으니 그곳에서 지내면 어떻겠냐는 거였다. 기간도 한 달 정도 남았다고 했다. 어떻게 이렇게 딱 맞을 수가 있을까. 게다가 후배의 오피스텔은 그렇게 멋지다는 송도 신도시 야경을 볼 수 있는 호텔 레지던시였다. 구도심 주택으로 이사 가기 전 마지막으로 보내는 신도시의 센티한 날들이 될 것이 분명했다.

살던 짐은 이삿짐 컨테이너에 맡기고 정말 필요한 것들만 싸서 오피스텔로 가기로 했다. 그런데 그곳에서도 밥은 해 먹어야 하고 커피도 내려 마셔야 했다. 옷이며 뭐며 이것저것 챙기다 보니 짐이 생각보다 많아졌다. 장모님께서 보내주신 대봉이 있었는데 홍시가 돼야 먹을 수 있었기에 이것도 몇 개 챙겨가기로 했다. 감이 다 익어갈 때쯤에는 우리도 새 집으로 들어갈 수 있겠지. 오피스텔에 들어가니 이미 한밤중이었다. 야반도주하는 것도 아니고 살림살이 주렁주렁

들고 이게 뭐람.

그런데 그렇게 오피스텔에 들어간 지 일주일 만에 날벼락이 떨어졌다. 부동산에서 오피스텔 계약을 앞당겨 하는 바람에 다음 날 오전에 집을 비워야 한다는 후배의 다급한 전화가 왔다. 다음 날은 나도 아내도 회사를 가야 하는데 결국 그날 밤에 짐을 빼야 했다. 하필 둘 다 야근이라 10시가 넘어야 집에 들어갈 수 있었다. 야반도주가 따로 없었다.

그래도 그나마 갈 곳이 있어서 다행이었다. 다시 과외방으로 가기로 했다. 짐을 싸는데 서글픈 생각이 들었다. 집 없는 설움이란 게 이런 걸까. 우리가 정말 오갈 데 없는 상황이었다면 어땠을까. 눈물이 많은 아내는 아마 대성통곡을 했을 것이고 이번에는 나도 따라서 눈물을 찔끔 흘렸을 것이다. 그래도 우리는 이렇게 버티면 돌아갈 집이 있다지만, 그렇지 않은 이들은 얼마나 고달플까. 생각할수록 마음이 무거웠다. 한밤중에 다시 짐을 싸며 아내와 나는 아무 말도 하지 않았다.

과외방은 지내기가 편치 않았다. 아파트였지만 결국 남의 사무실에서 잠을 자는 것이었다. 저녁에 어디서든 시간을 보내고 들어가는 것도 생각보다 쉽지 않았다. 하루하루가 괴로웠다. 센티할 걸로 기대했던 신도시의 밤은 날이 추워지기 시작해서인지 차갑게만 느껴졌다.

그러던 차에 또 다른 귀인이 나타났다. 평소 우리 부부와도 친하게 지내던 분인데 저녁을 함께 먹자고 하더니 학익동에 있는 어느 집을 보여주었다. 본인 어머님이 하시던 가정집 피아노 학원인데 괜찮으면 이곳에서 지내도 된다는 것이었다. 지금은 집으로 쓰는데 잠시 비어 있는 상태라고. 아내와 나는 바로 짐을 쌌다. 또다시 야반도주. 이제 짐을 싸고 푸는 것도 익숙해져서 시간도 오래 걸리지 않았다. 그동안 감은 점차 홍시가 되어가고 있었다.

피아노 집은 내가 다니던 초등학교 근처에 있었다. 아내는 모든 게 낯설었겠지만 나는 오랜만에 초등학교 근처에 오니 감회에 젖는 나날이었다. 어느 곳은 내가 학교를 다니던 그때와 달라진 게 전혀 없었다. 내가 다니던 골목길과 그 길에서 놀던 친구들의 집도 그대로 있었다. 우리가 몸을 맡긴 곳도 마찬가지로 옛날 집이었는데 어디에 피아노를 두고 가르치셨을까 싶을 정도로 작았다. 그곳엔 입식 세면대도 식탁도 없었지만 다행히 그동안 사람이 살았던 온기가 있어서 지내기는 송도보다 훨씬 나았다.

신기하게도 가장 불편한 이 집이 우리에겐 가장 포근했다. 존재하지도 않는 피아노 소리가 어디선가 은은히 들리는 듯했다. 아마도 어린 시절 골목에서 들리던 가끔씩 음정이 틀리는 피아노 소리와 같았을 터였다. 홍시가 익기 시작해 하나를 까먹었다. 홍시가 놓인 곳도 원래 제자리인 양 자연스러워 보였다.

집을 나온 지 거의 한 달이 다 되어가는데 또 날벼락이 떨어졌다. 공사가 생각보다 늦어질 것이고 게다가 공사비도 그만큼 늘어날 거란 얘기였다. 늦어도 11월 중순이라던 입주일은 하순으로 늦어졌다. 날은 추워지기 시작했고 우리는 기다리는 수밖에 없었다. 그래도 피아노 집이 있으니 그나마 다행이었다. 그런데 얼마 지나지 않아서 입주일이 또 연기될 것 같다는 전화가 왔다. 더 이상 참을 수가 없었다.

"11월 30일에는 무조건 집에 들어갈 거니까 그때까지 마무리해주세요."

아내의 싸늘한 말과 함께 초겨울 한파가 찾아왔다. 나는 마지막 홍시를 까 먹었다. 돈도 시간도 그리고 홍시도 이제 남은 건 하나도 없었다.

1. 이사 날짜가 안 맞으면 여러모로 괴롭습니다. 그래도 걱정하지 말아요. 결국 시간은 가고 집은 남습니다. 지인들의 도움을 받는 것도 좋지만 저희처럼 피눈물을 흘리지 않으려면, 단기 임대를 알아보는 것도 좋습니다. 에어비앤비나 방 구하기 앱을 찾아보면 '한 달살이' 집들이 꽤 많더군요. 컨테이너에 짐을 맡기는 비용은 대체로 하루 1만 원이니 너무 겁먹지 않아도 됩니다. 보통 이삿짐센터와 연결되어 있으니 이사를 맡길 적당한 곳을 찾으면 돼요.

2. 공사하는 집을 수시로 찾아가 진행상황을 살피는 건 좋아요. 현장에 가보면 상의할 일들이 많이 생깁니다. 물론 이런 걸 싫어하는 현장 소장님들도 있다고 합니다. 하지만 일정이나 진행상황을 계속 체크하는 것도 정해진 기간 내 공사를 마치는 방법이 될 수 있겠죠.

3. 시공사의 잘못으로 공사가 계약보다 늦어지게 되면 이에 대한 지체보상금(지연손해금)을 청구할 수 있습니다. 계약서에 이를 명시했다면 말이죠. 앞서 말한 표준 계약서에 따르면, 시공사는 공사 완료 이전까지 지급한 금액에 대해 지연된 공사일만큼 연체이자를 건축주에게 줘야 합니다.

아내는 다 계획이 있었구나!

우리가 밖에서 야반도주 전문가가 되어가는 사이 집은 모양을 갖춰가고 있었다. 주말에 공사 현장에 들러 소장님의 설명을 듣다 보면 '아, 이게 진짜 우리 집이구나' 새삼 실감이 났다. 평생 세입자만 하다 보니 내 집을 보고 있어도 '내 것인 듯, 내 것 아닌, 내 것 같은' 묘한 기분은 쉽사리 사라지지 않았다.

그래서인지 현장 소장님의 열띤 설명에도 "아, 네. 잘해주세요" 마치 남의 집 이야기하듯 나는 밑도 끝도 없는 말만 되풀이했다. 그래도 건축주로서 아는 척은 해야겠기에 우리가 선택한 동네의 역사와 문화 그리고 이 동네 오래된 건축물은 얼마나 아름다운가, 오래된 동네 오래된 맛집은 또 얼마나 많은가처럼 아무 쓸모없는 자랑만 하고 있었다.

무사안일, 만사태평인 나와는 달리 아내는 다 계획이 있었다. 건축사들과의 면담 뒤로 아내는 그들과 이메일을 주고받으며 우리 집을 완성해갔다. 아내는 건축사 측에서 요구한 '우리가 바라는 집의 이미지'와 색감 등을 담은 꽤 많은 양의 사진을 건넸다. 우리가 산책을 하며 마음에 들었던 집 사진도 있었고 리모델링 관련 온라인 사이트와 책 등에서 모은 이미지들도 있었다.

그러고는 리모델링하는 건축주가 해야 할 일들을 알아서 척척 해냈는데 이를테면 무엇을 남기고 무엇을 버릴 것인가, 어디에 힘을 주고 뺄 것인가 같은 완급 조절을 이어갔다. 그리고 철거, 조적, 미장, 단열, 각종 설치 등 각 공정별로 어떤 자재를 어떤 색으로 하느냐 같이 너무나 어려운 질문지에도 답을 척척 해냈고 심지어 답안이 마음에 들지 않을 때는 알아서 대안을 찾아오는 엘리트 학생 같은 모습을 보여주었다.

하지만 모범생에게도 고민은 있었으니 아내를 끝내 괴롭힌 문제는 1층과 2층 구조를 어떻게 하느냐였다. 1층이 거실이냐 2층이 거실이냐. 그것이 문제였다. 하루에도 몇 번씩 아내는 그림을 그렸다가 지우기를 반복했다. 이러다가 아내가 '나 건축사 자격증 땄어'라고 말을 해도 전혀 이상할 것 같지 않았다. 아내는 생애 최초 우리 집을 설계하고 가꾸는 데 열과 성을 다했다.

아내가 가장 원했던 것은 대면형 주방과 테라스 그리고 햇볕이었다. 독립적이고 아늑한 집! 햇볕이 잘 드는 집! 주방이 예쁜 집! 이게 우리가 원하는 집이었다. 내가 하나마나한 이야기를 허공에 날려 보냈다면 아내는 그걸 도면 위로 착륙시키기 위해 여기저기 정보들을 끌어 모았다. 창문은 어떤 창을 어떤 크기로, 문은 여닫이인가 슬라이딩인가, 바닥은 타일인가 마루인가, 싱크대는 원목인가 대리석인가, 벽은 벽지인가 페인트인가. 생각만 해도 숨 막히는 선택지를 모두 펼쳐놓고 고민에 고민을 거듭했다. 그러다가 가끔 나를 그 선택의 미로 속에 던져놓고 시험에 빠뜨렸는데, 그 미로를 함께 헤쳐나가는 답안을 내는 대신 나는 "자기가 좋은 걸로 해. 나는 당신이 좋은 게 좋아" 마치 생색을 내듯 아내가 쌓은 미로를 흐트러뜨리며 도망치곤 했다.

그래도 아내는 꿋꿋하게 집을 지어나갔다. 아마도 아내가 세심하게 신경 쓰지 않았다면 신축보다 어렵다는 리모델링 작업은 영영 미로 속에 갇혔을 것이다. 하지만 아무리 뜻과 의도가 좋다 한들 일이란 게 결국 예산의 한계를 넘을 수 없는 법이다. 공사비는 예상보다 점점 불어났고 결국 돈 때문에 포기해야 할 일들이 있었는데 그때마다 아내의 노력은 그 넘을 수 없는 한계를 돌파하기도 했다. '아내 공적비'를 현관 앞에 만들어 그 공적을 일일이 열거하고 싶은 생각이 들 지경이었다.

수많은 아내의 공적 중에 내 마음에 드는 것을 고르자면, 2층 계단 옆 공간을 통째로 책장으로 만든 것이다. 이사를 다닐 때마다 천덕꾸러기 취급을 받던 수많은 책과 음반들은 제자리를 찾게 되었고 그제야 그 가치를 발휘할 수 있게 되었다. 두 번째 공적은 이전에 살던 분들이 사용했던 큰 나무문을 재활용한 것이다. 아내가 요청한 걸 시공사에서 보기 좋게 슬라이딩 도어로 제 멋을 살려냈다. 나무문은 실용도도 높고 2층 인테리어의 포인트가 되어주기도 했다.

하지만 결국 예산 문제로 많은 것들을 포기해야 했고 그 과정 속에서 우리는 아니, 아내는 잃고 싶지 않았던 것들을 지키기 위해 끝까지 애를 썼다. 최근에 다시 그때 메일들을 들춰보다가 건축사들에게 보낸 아내의 메일을 보게 되었다. 그제야 나는 아내의 마음을 이해할 수 있게 되었다.

"집이란 저희 삶이 담기는 공간인데 어떻게 살 것인가, 어떻게 살고 싶은가가 아니라 점점 돈 이야기만 남아 참 서글

픕니다. 소장님들의 생각도 같을 것만 같아 요즘 마음이 참 안 좋아요. 필요한 일이지만 참 피하고 싶은 부분이겠다 싶어지고요.

'저희는 이런 사람이니, 저희에게 맞는 공간을 마음껏 지어주세요'라고 말씀드릴 수 있는 건축주라면 얼마나 좋을까 생각도 해봅니다. 나중에 집을 보면서 소장님들의 고민과 우리의 고민이 만들어낸 결과물이라 생각해야 할 텐데 '이건 얼마짜리, 저건 얼마짜리' 이렇게 말이 나오면 어쩌나, 갑자기 울컥하네요."

2017년 12월 1일. 엄동설한에 우리는 드디어 입주했다. 하지만 불행히도 이제 이걸로 끝일 줄 알았던 공사와 이사는 우리를 한 번 더 기다리고 있었다.

계단 옆으로 짜 넣은 책장.

단독주택살이 봉봉's 팁

1. 리모델링이 신축하는 것보다 비용이 더 드는 경우도 있습니다. 그럼에도 리모델링을 선택하는 이유는 그 편이 건축주에게 더 유리하기 때문이죠. 이를테면 저희는 신축을 하게 된다면 주차장을 확보해야 하는 부담이 있었어요.

2. 리모델링과 인테리어에 대한 정보를 제공하는 앱이 늘어나고 있습니다. '오늘의 집' 같은 곳에서는 셀프 시공, 인테리어, 리모델링 등 집에 대한 다양한 정보를 제공하고 있어요. 다른 이들의 집도 구경할 수 있는 '집들이' 기능도 있어서, 남들은 어떻게 하고 사나 들여다보는 재미도 있더군요.

영혼까지 끌어 모아 리모델링

　　　　　　　　　"지하실은 청소하고 페인트만 칠하는 걸로 마무리할게요."

　"아…… 네. 그래야겠죠?"

　"바닥엔 에폭시를 칠하면 좋을 것 같은데, 어렵지 않으니까 나중에 직접 하세요. 이것도 사람 쓰면 못해도 100만 원은 줘야 해요."

　단독주택으로 이사하며 가장 신나는 일은 옥상과 지하실이 생긴다는 것이었다. 2층 슬라브벽돌 구조인 우리 집은 같은 구조와 크기의 반지하가 있다.

　"지하실에서 뭘 할까? 서점을 할까?"

　"아니야. 커피 로스팅하는 작업실로 하자."

"아니야. 연기 많이 나서 안 돼. 로스팅 기계는 또 얼만데."

"그럼 팟캐스트 녹음실로 꾸며볼까?"

"그거 괜찮네. 아니 그러지 말고 그냥 하고 싶은 거 다 해보지 뭐."

"하하하. 하하하하."

지하실을 생각하면 절로 웃음이 났다. 생각지도 않았던 지하실이 있는 게 이렇게 좋을 수 없었다. 요즘 아파트 1층 세대엔 테라스도 있고 복층구조로 지하 공간도 있다고 하던데 뭐 부러울 게 하나 없었다. 집을 샀더니 지하실을 사은품으로 하나 더 껴준 격이었다.

하지만 그게 문제였다. 이층집을 리모델링하려다 보니 지하 공간까지 손볼 여력이 안 됐다. 궁리 끝에 오랫동안 쓰지 않던 지하실은 청소하고 페인트만 칠하는 것으로 마무리했다. 지하실은 고사하고 1층과 2층을 고치는 데도 당초 예산으로는 턱없이 부족했기 때문이었다. 당초 우리 계획은 이랬다. 한 층을 더 증축해서 2층과 3층은 우리가 살고 1층은 세를 주고 그걸로 대출받은 걸 일부 갚자.

그런데 건축사들 말이 용적률 문제로 증축하는 효과가 떨어진다고 했다. 그러면 1층과 2층을 우리가 모두 쓰는 수밖에 없었다. 그러면 1층을 거실로 쓰고 2층을 방으로 쓸지 아니면 그 반대로 할지가 고민이었다. 그리고 발코니는 어떻게 할지, 세탁실은 어떻게 할지 구조를 어떻게 하느냐로 우리는, 아니 아내는 고민에 고민을 거듭했다. 사실 나는 이렇게 해도 저렇게 해도 상관없었다. 내 머릿속에는 온통 지하실에서 뭘 할까, 그 생각뿐이었다.

아내는 내가 얘기를 듣는 척하지만 딴생각을 하고 있다는 것을 기가 막히게 알아챈다. 처음에는 아내의 말이 귀에 들어오다가도 이야기가 길어지면 나도 모르게 딴생각을 하게 된다. 아내는 심각하게 이야기하는데, 나의 영혼은 탈출과 귀환을 반복했다. 한번은 내가 너무 무심하다며 아내가 운 적도 있다.

"아니, 내가 무심한 건 아니고…… 그런데 자기도 마음대로 하면 그게 더 좋지 않아?"

아내는 리모델링을 하며 세 번을 울었다. 내가 무심한 것보다 생각 외로 돈이 너무 많이 들었기 때문이었다. 당초 우리가 생각한 예산은 최대 6천만 원이었다. 대출로 그 정도는 감당할 수 있을 것 같았다. 건축사와의 인터뷰를 통해 우리가 원하는 걸 설계도에 그려나가기 전에 그랬다는 얘기다. 꿈만 같던 상담과 그 꿈을 통해 허공에 세운 우리 집이 설계도 위에 내려앉기 위해서는 더 많은 돈이 필요했다. 그 예산으로는 창호를 전혀 교체하지 못한다는 이야기였다. 충격이었다.

"네? 그러면 저 쌍팔년도 알루미늄 창호를 그냥 써야 한다고요?"
"네. 어쩔 수 없어요. 창호가 가장 돈이 많이 들어요."
"창문 다 교체하려면 얼마가 드는데요?"
"방문까지 해서 대략 2천만 원 정도 될 겁니다."
"헉."

평소 악관절로 입이 잘 벌어지지 않아 고생이던 아내의 입이 떡 벌어지는 게 보였다. 나도 놀랐지만 아내의 턱이 다시 안 다물어지면 어쩌나 하는 쓸데없는 걱정이 들었다. 아무리 이중, 삼중창이지만 안 깨지는 것도 아닌 유리창이 그렇게 돈이 많이 든다니. '저 누리끼리한 알루미늄 창호를 그냥 둔다고?' 안 될 말이었다.

일단 리모델링 비용은 8천만 원으로 늘어났다. 퇴직금을 미리 당겨 쓰기로 했다. 그런데 이게 끝이 아니었다. 우리가 매입한 집은 방이 많은 옛날 집 구조라 벽을 허물지 않고서는 거실이 거실이 아니라는 아내의 하소연이었다. 우리끼리 아무리 도면을 이렇게 그려보고 저렇게 그려보아도 결국 벽이 모든 걸 막아버렸다. 방벽을 헐고 H빔을 넣는 대수선 공사를 해야 그나마 우리가 원하는 그림이 그려졌다. 이 문제로 아내가 하루하루 늙어가는 게 눈에 보였다. 수심으로 앙다문 아내의 턱이 이제 다시는 열리지 않을 것만 같았다. 집 사고 병을 얻을 수는 없는 노릇.

"차라리 집을 부숴버리고 새로 지을 수 없나요?"

"네. 그게 설계하는 저희도 편해요. 그런데 그러면 주차장도 만들어야 하고 그러면 용적률도 고려해야 하니 쉽지 않아요. 비용도 더 많이 들고요."

리모델링이 신축보다 더 까다로운 공사인 줄 그때 알았다. 공사는 집 뼈대만 남기고 거의 모든 걸 교체하는 수준으로 진행되었다. 특히 우리가 오래 살 거라는 말에 건축사는 무엇보다 단열에 예산을 많이 책정했다. 게다가 우리는 계속 낡은 아파트에서만 살아왔기 때문에 대면형 싱크대, 발코니 폴딩 도어같이 누가 봐도 '새집' 같은 그런 인테리어를 포기하고 싶지 않았다. 오래 살 집이기에 적당히 할 수도 없는 노릇이었다. 결국 우리가 원하는 구조의 집이 되려면 최종 1억 원이 리모델링 비용으로 들어가야 했다. 협소 주택 리모델링 공사비는 결코 협소하지 않았다.

리모델링을 위해 영혼까지 끌어 모았다. 어차피 오래 살거면 제대로 공사해야 한다. 이건 단순한 리모델링이 아니라 삶의 질을 리모델링하는 것이다. 우리가 그토록 원했던 '독립적이고 아늑한 집', 결혼 후 네 번의 이사 만에 겨우 마련한 집인데 이대로 대충 할 수 없다. 스스로에 대한 최면과 '딸라 빚'이라도 지겠다는 결의로 돈을 모아 공사 대금을 치렀다.

"지하실은 청소하고 페인트만 칠하는 걸로 마무리할게요."

"아…… 네. 그래야겠죠. 살면서 고치죠 뭐."

쳐다만 봐도 웃음이 나던 지하실은 '저걸 어쩌나' 쳐다만 봐도 답답한 마음이 들었다. 하필이면 나를 가장 설레게 했던 지하실과 옥상만 빼고 집 전체를 리모델링했다. 비용 때문에 차마 거기까지 손댈 수는 없었다. 옥상에도 테라스를 만들고 뭔가 근사한 걸 하고 싶었지만 방수와 난간만 교체하는 걸로 공사를 끝냈다.

집을 매입하며 아내에게 지하실과 옥상은 '내 것'이라고 했는데, 이제 '내 일'이 되었다. 지하실은 현재까지도 셀프 공사 중이다. 바닥에 에폭시를 깔고 한쪽 방을 팟캐스트 녹음실로 꾸미고 있다. 단독주택으로 이사 오자마자 나는 옛 드라마 〈한 지붕 세 가족〉의 '순돌이 아버지'가 되었다. 잘하지 못해도 웬만한 건 알아서 고치고 만들고 살아야 한다. 순돌이 아버지를 모르는 분들을 위해 대략 설명하자면 이렇다. 아내가 집 안 수리 문제로 관리사무실에 전화를 한다. 그 전화를 내가 받는다. 집주인이자 관리소장이며 골목길 대외협력부장 그게 '순돌이 아버지'의 삶이다.

"아, 네. 알겠습니다. 곧 출동하겠습니다."

1. 리모델링 비용은 대부분 처음 생각보다 많이 듭니다. 하다 보면 욕심이 생기고 생각지도 못한 수많은 변수가 생기게 돼요. 이를테면 시공업체가 돈을 받고 도망가거나 일정이 늦어져서 인건비가 늘어나는 것도 부지기수입니다. 융통할 수 있는 자금이 필수입니다. 하지만 '딸라 빚'을 지면 안 되겠죠?

2. 셀프 시공도 비용을 줄이는 답입니다. 하지만 잘 못하겠으면 하지 말아야 합니다. 저 같은 '똥손'들은 오히려 더 큰 돈 들어갈 일을 기어코 만듭니다.

3. 현장 소장님과 친하게 지내세요. 세상사 인간적으로 친해지면 부탁을 외면하기 어려운 법입니다. 저희 경우는 처음부터 건축 시공사 측에서 우리와 친해지는 걸 차단했어요. 제가 구도심 맛집으로 꼬셔봤지만, 집이 완공되기 전까지 건축주와는 절대 밥을 안 먹는다는 원칙을 놀랍게도 정말 지켜냈습니다. 나중에 집들이 때 해제되었지만요.

4. 용적률은 집의 용량 즉 몇 층까지 올릴 수 있느냐에 대한 것이고 건폐율은 집의 면적 즉 얼마나 넓게 지을 수 있느냐에 대한 것이에요. 주거지역 종류에 따라 그 비율이 정해져 있으니, 집을 선택할 때 이 부분까지 고려하는 게 좋습니다. 특히 신축을 하려고 하는 분들은 말이죠.

저희 집입니다.

반지하, 1층, 2층 그리고 마당을 대신하는 옥상이 있어요.

© 변종석

뜻밖의 플렉스,
뜻밖의 기생충

입주를 하고 이제 내 집에서 두 발 뻗고 사나 했더니, 또 다른 문제들이 우리를 기다리고 있었다. 시공이 잘못되어 보수해야 할 것들이 한두 가지가 아니었다. 우선 보일러가 말썽이었다. 밸브 근처 관에 누수가 일어났고 그 탓에 걸핏하면 보일러가 꺼져버렸다. 보일러 탓이 맞네 아니네, 원인을 찾는 데 사흘이 걸렸다.

더 속 터지는 일은 하나의 보일러로 1층과 2층 난방을 모두 했는데, 그 분리 시공을 또 잘못 하여 침실이 있는 2층만 보일러를 돌려도 1층까지 난방이 되었다. 뜻밖의 '열 플렉스'였다. 정작 우리는 LPG 가스비가 부담되어 전전긍긍하고 있는데, 이건 보일러가 거꾸로 두 번을 타도 시원찮을 판에 우리 속만 시커멓게 태우고 있는 격이었다. 결국 당초 시공업자를 바꿔 분리 장치를 새로 설치했다.

그보다 우리를 더 괴롭힌 일은 업체들이 약속한 보수 날짜를 대체로 안 지키는 것이었다. 전기 아저씨는 오겠다고 약속한 지 두 달 후에 나타났고, 방충망 등 이것저것 사소한 것들을 해야 하는 잡철 아저씨는 약속을 서너 번이나 어기고야 나타났다. 우리를 더욱 화나게 한 것은 약속한 날짜와 시간을 매번 어기고도 말도 안 되는 핑계를 둘러대는 것이었다. 그분들도 말 못 할 사정이 있을 수 있겠지만 이래서 '받을 돈 다 받으면 끝'이라는 말을 사람들이 하는구나, 씁쓸한 생각이 들었다.

사소한 문제들이 정리가 되고 이제야 맘 편히 살아보나 했더니 더 큰 문제가 터졌다. 2층 물받이가 자꾸 벽에서 떨어져서 자세히 들여다보니 바닥이 살짝 꺼지는 것이 그 원인이었다. 사실 입주하고 들어갈 때부터 건식난방을 한 2층 바닥이 뭔가 석연치 않았다.

1층은 주방과 거실 그리고 서재로 각각 타일과 강마루로 바닥을 마감했다. 2층은 침실과 방으로 비용 절감과 공사기간 단축을 위해 건식난방을 선택했다. 습식난방은 우리가 보통 알고 있는 방식으로 몰타르를 치고 난방 호수를 까는 작업인 반면, 건식난방은 기존 시멘트 위에 몰타르 없이 그대로 작업하는 방식이라 공사 기간이 짧은 장점이 있었다.

그런데 2층 바닥이 웬일인지 시간이 지날수록 조금씩 주저앉고 있었다. 소장님께 다시 전화를 했다. 이제 이 분도 내 전화가 오면 긴장을 하는 게 느껴졌다. 직원이 와서 검사를 하고 일은 더 커졌다. 난방 시공이 잘못된 것이니 바닥을 다 뜯어내고 다시 해야 한다는 것이다.

"네? 그러면 어떻게 되는 거죠?"

"시공이 잘못돼서 뜯어내고 다시 해야 할 것 같아요. 일단 2층 짐은 빼서 컨테이너에 맡기고 바닥을 전부 뜯어내고 습식난방으로 다시 할게요. 저희도 건식난방은 이번이 처음이라, 죄송합니다. 그러면 한 열흘은 걸릴 것 같습니다."

"네에?"

"공사하는 한 이틀 집을 비워주셔야 하고 이후에도 한 일주일 정도 시멘트가 마를 때까지 2층을 못 쓰실 겁니다. 죄송해요."

내 집에서 내가 셀프 쫓김을 당해야 하다니. 원통하고 분했지만 한편으로는 끝까지 공사를 책임져주는 시공사에 고마운 마음도 들었다. 그나저나 어떻게 해야 하나 고민하던 차에 아내가 솔깃한 제안을 해왔다.

"일단 집을 비워줘야 하니까 그동안 가고 싶었던 대만 여행이나 갔다 오자."

"으응? 갑자기?"

"그리고 나는 집에서 일도 해야 하니까 1층 소파에서 자고. 자기는 어머님 댁에서 있다가 와."

"당신 혼자 두고 갈 수 없으니까 그러면 나는 매트리스만 가져다가 지하에서 지낼게."

"으응?"

그렇게 뜻하기 않게 3박 4일 대만 여행을 다녀왔다. 집에 돌아와 보니 2층은 다시 공사판이 되어 있었다. 컨테이너에 실을 수 없었던 살림살이는 1층에 쑤셔 박고, 나는 자진해서 지하실로 내려갔다. 나만의 공간으로 꾸밀 작정이던 지하실은 결국 손도 하나 못 대고, 나 홀로 매트리스를 깔게 되었다. 이게 무슨 운명의 장난인가. 뜻밖에 기생충 아저씨가 되어 지상으로 올라갈 날만 기다리고 있는 내 꼴이라니. 나는 집들이 선물로 받은 온갖 향초를 지하에서 밝히며 다짐했다.

'그래. 여기까지다. 우리 집을 갖기 위해 겪어야 할 모든 일들을 이제 다 겪은 것 같다. 혹시라도 이보다 더한 시련이 또 있을 수 있겠지만, 이제 지하에서 올라가기만 한다면 온전한 우리 집이 있다. 지금껏 잘 버텨왔다. 나는 올라갈 것이고 다시는……'

"자기야! 밑에서 왜 혼자 중얼거려. 시끄러워!"
"응. 알았어~."

지하실은 나의 놀이터!
아이들처럼 어른에게도 집에 숨을 공간이 필요합니다.

1. 구도심 주택을 리모델링하고자 마음먹었다면 먼저 각 지자체의 지원 사업을 살펴보세요. 상하수도 교체, 도시가스설치, 대문 등 외관 공사, 태양열 발전기 설치, 주차장 만들기 등 '도시 재생' 명목의 지원들이 많습니다. 도시재생이 국가의 중요 정책이기 때문에 그만큼 예산도 많아요. 단, 자금 고갈 시까지 지원하니까 빠른 정보수집과 재빠른 신청이 필요합니다.

2. 주택도시보증공사(HUG)에서는 심지어 집이나 상가를 사고 리모델링하는 데 저리로 돈을 빌려줍니다. 도시재생활성화지역에서 이뤄지는 코워킹 공간, 청년창업지원센터, 상가 리모델링, 공영주차장 개발사업 등과 관련해 사업비의 최대 80%를 대출해주고 있어요. HUG 도시재생 카테고리를 찾아가 보세요. 문서 작성에 자신 있다면 도전해 볼만한 지원 사업들이 많더군요.

3. 서울시에도 노후주택 리모델링에 대한 지원이 있어요. '가꿈주택 집수리 지원사업'이 그것인데 공사비 융자, 전문가 상담, 공구 대여 등 주택 리모델링에 대한 다양한 정보가 있으니 '서울시 집수리닷컴'홈페이지에서 해당 정보를 찾아보세요.

4. 리모델링 계약 시 하자보수에 대한 보장 기간을 작성하게 되어 있습니다. 시공 항목별로 다르지만 대부분 보장 기간은 1년이고 방수와 조적은 2~3년입니다. 이 또한 계약서에 잘 써두어야 합니다.

인테리어
티끌모아

　　　　　　리모델링이 어떻게 집을 효율적으로 구성하느냐의 문제였다면 인테리어는 그 안에 무엇을 채워 넣느냐의 물음이었다. 선택의 연속이었고 선택은 늘 시간과 돈을 요구했다. 바닥은 뭐로 하느냐, 벽지는 어떤 색과 어떤 재질로, 현관문은 어떤 색으로 할까, 망입 유리냐 아니냐 등등. 그래도 아내가 리모델링 과정에서 여러 방면으로 기량을 발휘한 덕에 인테리어는 한결 수월했다. 침실과 화장실을 제외한 방문을 모두 없애고 2층으로 오르는 계단 한쪽 벽을 모두 책장으로 꾸민 것은 아내의 아이디어였다.

　　그리고 전에 살던 사람들이 쓰던 나무 유리문은 버리지 않고 슬라이딩 도어로 살려 냈다. 그러고 보니 전체적으로 원목이 주는 따뜻한 느낌이 집 안 분위기를 아늑하게 감싸 주는 효과가 있었다. 또 분위기를 좌우하는 데 한몫하는 것은 조명과 커튼이었는데 이것들은 모두 아내와 함께 내가 이케아에서 골랐다. 그나마 이거라도 거들었기 때문에 화를 면할 수 있었다. 아내는 화장실 세면대와 거울 하다못해 휴지걸이 하나에도 이걸로 하느냐 저걸로 하느냐로 골머리를 앓았다. 깜빡하고 욕조에 신경 쓰지 못한 것을 천추의 한으로 여겼다.

반면 나는 태평했다. 사실 나는 지하실과 옥상 이외엔 별 관심이 없었다. 그나마 작은 바람이 있다면 집 앞에 있는 오래된 초등학교 건물과 호응할 수 있는 외관을 해줄 것을 건축사에게 부탁했었는데, 정말 세상물정 모르는 태평한 소리란 걸 깨닫고 몹시 부끄러워졌다. 결국 비용 문제로 옥상과 지하실은 손대지 않기로 하면서 나는 현실을 자각해야 했다. 하필이면 한때 내가 로망에 가득 차 망상에 빠졌던 공간들이었다. 하지만 나는 나대로 방법이 있긴 했다.

나의 방법이란 세상의 모든 아내들이 가장 싫어하는 바로 그것, 그렇다. 아저씨들의 주특기 '길에서 주워오기'다. 더 이상 쓸 돈도 없고, 돈이 있다 한들 쓸 수도 없다. 이제부터는 티끌 모아 인테리어다. 집을 리모델링하면서 남은 목재 하나, 못 하나도 버리지 말 것을 업체에 주문했다. 필요한 것은 내가 만들고 못 만드는 건 주워오자. 이것이 진정한 재생 정신이다.

그렇다고 내가 여느 아버님들처럼 아무거나 괜찮아 보인다고 '쓰레기'까지 주워오지는 않는다. 나도 나름의 기준이 있다. 그리고 이 기준을 아내에게 허락받는 현명한 선택을 했다. '여보, 이 아이들 데려가도 되남?'

때론 냉정한 아내 덕분에 내 기준이 형편없다는 사실을 깨달아야 했지만 그런 아이들은 아내 몰래 지하실에 처박으면 그만이었다. 그리고 어떤 아이들은 몰래 지하실에 숨어지내다가 아내에게 간택되어 지상으로 올라오는 경우도 있었다. 그럴수록 나의 '티끌 모아 인테리어'는 힘을 얻었다.

당시 나는 인천의 특정한 장소의 소리를 녹음하는 라디오 프로그램을 연출하고 있었다. 그날은 재개발을 앞둔 남동구 십정동의 소리를 녹음하러 갔었는데, 마침 철거가 한창이었다.

십정동은 영화 〈은밀하게 위대하게〉 촬영지였다. 십정(十井)동, 열 우물 마을. 열 개의 우물이 있어서 열우물마을이란 이름이 생겼다는 말도 있고, 겨울에도 얼지 않는 열(熱)우물이 있어서란 말도 있다. 이랬든 저랬든 이제는 우물도, 언덕배기에 다닥다닥 모여 살던 집들도 사람들도 모두 사라졌다. 1960년대부터 인천의 도시 노동자들이 모여 살던 구불구불한 산동네는 새로울 거 없는 뉴-스테이 아파트가 들어설 예정이었다.

아무튼 녹음하는 일이란 마이크와 녹음기를 설치하고 기다리는 일이다. 어쩌면 소리를 녹음하는 게 아니라 시간을 녹음한다는 생각이 들 정도로 오래 기다리는 일이다. 그렇게 앉아서 하염없이 부서지는 집들을 바라보고 있었다.

그런데 곧 부서질 집들 중에 너무 멀쩡한 주택이, 하필 그 주택 2층 발코니가, 또 하필 너무 멀쩡하고 예쁜 나무 유리문이 내 눈에 확 들어왔다. '어…… 어. 안 되는데. 저거 아까운데.' 나도 모르게 벌떡 일어나 그 집으로 향했다.

가까이 가 보니 나무 유리문은 멀리서 볼 때보다 더 멀쩡하고 상태도 좋았다. 격자 나무 창살에 투명한 유리문은 요즘엔 구하려야 구할 수도 없는 것이다. 예스러움과 우아함까지 갖추고 있었다. 왜 요즘엔 이런 걸 못 만들까. 품위 있는 나무문을 이대로 부서지게 할 수는 없다. 이건 죄악이다. 애야 우리 집 지하로 가자.

하지만 이 큰 걸 아내 몰래 지하에 들고 갈 수는 없는 노릇. 아내의 허락을 받아야 했다. 나는 사진과 함께 다급한 메시지를 보냈다.

"여보, 이 아이 데리고 가도 괜찮지? 내가 안 데려가면 이 아이는 영영 사라져!"

단독주택살이 봉봉's 팁

1. 리모델링 공사할 때 외부 인터넷 선이 들어오는 라인을 사전에 매립형으로 설계해야 합니다. 이 부분을 신경 쓰지 못해 결국 창틀에 구멍을 내고, 인터넷 선과 CCTV 라인을 욱여넣게 되었어요. 공사하시는 분들도 깜빡 놓치기 쉬운 부분입니다. 이 지저분한 선을 볼 때마다 화딱지가 나요.

2. 콘센트 위치도 미리 상의하면 좋아요. 정작 가구나 살림살이를 원하는 자리에 놓고 나면 전기 꽂을 콘센트가 없어서 멀티 선을 끌어와야 하는 어이없는 상황이 생기더군요. 깔끔쟁이들에겐 이 역시 보기 지저분합니다.

아
내
의
방

나의 공간이 지하실이라면 아내만의 공간은 서재이다. 우리에게 집이 무엇보다 중요했던 이유는 집이 삶의 공간인 동시에 아내에게는 곧 일터이기도 했기 때문이었다.

프리랜서 작가인 아내는 서재에서 일을 한다. 서재라고 해야 사실 책상과 컴퓨터가 있을 뿐이지만 아내에게는 분리된 자신만의 공간이 있다는 것이 중요했다. 학생들처럼 책상을 벽에 붙여 쓰는 게 아니라 방 중앙으로 배치한 것도 그런 이유였다. 나는 왠지 공간을 비효율적으로 쓰는 게 아닌가 싶었는데, 막상 서재 한가운데 놓인 의자에 앉아보니 무엇을 위한 것인지 바로 알 수 있었다. 공간 속에 어떤 자리가 아니라 그 자리를 위한 공간으로 방의 질서가 재편된다고 해야 할까. 아내는 어떻게 이런 걸 다 알았을까.

생각해보니 이전에는 아내에게 이런 마땅한 자리가 없었다. 집에서 원고를 쓰면서도 늘 거실 식탁이나 컴퓨터가 있는 곳에서 일을 했는데 자신만의 공간이라고 하기는 어려웠다.

그래서인지 아내는 자신은 집에서 일을 하는 사람이라는 걸 늘 강조했다. 집안일에 본인의 일이 간섭받거나 그 둘이 혼재되는 것을 싫어했다. 세탁기를 돌리고 일을 한다든지 일을 하다 말고 빨래를 넌다든지. 어떻게 보면 집에 있기 때문에 당연한 걸로 보이지만 생각해보면 아내 말대로 당연한 것은 아니다. 사무실이라면 일하다 말고 설거지를 해야 하는 일은 없을 테니까.

하지만 사실 그게 어떤 의미인지 이전까지는 이해하지 못했는데, 아내의 서재 의자에 앉아보니 이런 분리된 공간이 필요했겠구나 싶은 생각이 들었다. 집이라 해도 살림에서 벗어난 아내만의 공간이 필요했던 것이다. 우리 집이 생긴 덕분에 아내만의 방이 생겨서 좋고, 나도 지하실이라는 나만의 공간이 생겨 또 좋다.

자신만의 공간을 갖는다는 것은 또 다른 세계가 열린다는 것이다. 자기 방이 처음 생긴 날의 기쁨을 생각해보면, 그게 어떤 의미인지 쉽게 공감할 수 있다. 독립적인 인간에게는 그에 맞는 독립된 공간이 필요하다. 자신만의 공간이 있어야 마음의 공간도 커지기 마련이다.

내가 처음 방을 갖게 된 것은 막 중학생이 될 무렵이었다. 당시 우리가 살던 집은 용현동에 있는 단독주택이었는데 방이 세 개였다. 4학년이 될 무렵 아버지가 돌아가시고 살던 동네를 떠나 어렵게 장만한 집이었다. 엄마와 나 그리고 누나. 식구도 셋, 방도 세 개였지만 내 방은 없었다. 방 하나를 세를 줬기 때문이었다.

그 방에는 아마도 사회생활을 처음 시작한 나이로 짐작되는 어떤 누나가 살았다. 지금은 도저히 이해가 안 되는 상황인데 마치 하숙방처럼 방 한 칸을 월세로 내어준 것이다. 그 누나는 식구처럼 우리와 함께 살았다. 그렇다고 하숙을 한 것은 아니어서 누나는 방 안에서 밥을 따로 해 먹었다. 어떤 날은 우리와 함께 밥도 먹고 가끔 저녁에 엄마와 안방에서 과일을 먹으며 이야기를 나누기도 했다. 엄마도 처녀시절 그런 처지였다며 그 누나에게 더 마음을 썼다.

하지만 나는 그 누나가 싫었다. 당연히 내 방이 되어야 할 곳을 차지한 낯선 사람이었기 때문이다. 남이 우리 집에 함께 사는 것도 불편한 데다 내 방까지 차지하고 있으니 심통이 났다. 나는 그 누나가 안방에 있는 날이면 싫은 티를 더 냈다. 안방은 나와 엄마와 같이 쓰는 곳인데 내 방까지 차지한 이가 이곳에까지 들어오는 것이 못마땅했다. 어지간히 눈치가 없지 않고서는 주인집 아들의 심통을 누구라도 알아차릴 만한 그런 뚱한 짓을 했다. 어린 나는 옹졸했고 타인을 밀어내는 것에 익숙했다. 우리 집엔 우리 가족만 있어야 했다.

어느 날, 집에 아무도 없을 때 나는 그 누나의 방에 몰래 들어가 보았다. 보통 열쇠로 잠겨 있던 방문이 잠겨 있지 않은 날이었다. 누나의 방은 정말 작았다. 방에는 가구도 없이 초라한 살림살이만 쌓여 있었다. 바닥에는 책이 몇 권 뒹굴고 있었다. 몸을 누이면 아무것도 할 수 없는 방. 혼자라도 또 혼자여서 숨 막힐 것 같은 방이었다. 누나는 방에 혼자 있을 때 무얼 하고 지낼까. TV도 없는데 심심하지 않을까. 그런데 원래 살던 집은 어디였을까. 가족이 없는 걸까. 그런 걸 물어볼 새도 없이 그 누나는 그렇게 한 1년 정도 살다 방을 비웠다. 그리고 방은 곧 내 차지가 되었다.

내 방이 생긴 날을 기억한다. 나는 창문을 열고 밤늦게까지 밖을 쳐다보았다. 내 방이 있다는 것은 불 끄라는 소리가 없다는 뜻이고 잠을 안 자도 된다는 뜻이었다. 그런 자유가 좋았다. 당시 나는 천문학자가 꿈이었는데 내 방 창문을 열고 밤하늘을 쳐다보며 별자리를 찾았던 기억이 난다. 한편으로는 누나에게 심통을 냈던 게 미안했다. 나 때문에 다른 곳으로 이사한 걸까. 내가 몰래 방에 들어간 걸 알았을까. 아니면 다른 일이 생긴 걸까. 고작 이렇게 작은 방에서 가족도 없이 혼자 지냈을 그 누나가 생각났다.

하늘에는 별이 반짝였다. 하지만 별자리까지 찾기는 어려웠다. 마당에 나가 장독대 위에 올라가 봐도 잘 보이지 않았다. 그러다 카시오페아 같은 별자리를 찾게 되면 그렇게 신기할 수가 없었다. 저 광대한 우주에서 별들은 항상 똑같은 위치로 자신의 자리를 지키고 있다는 것이 놀라웠다. 달리 말하면 저 넓은 곳에서도 다른 형태의 자리는 존재하지 않았다는 것도 놀라운 일이었다.

그나저나 그 누나는 어떻게 되었을까. 그 후 자기만의 방을 찾았을까. 저 광대한 우주에, 지구라는 별에 그리고 이 작은 나라에 맘 편히 쉴 수 있는 자기만의 공간을 찾았을까. 그걸 찾아가는 것이 한 인생의 여정이라면 그 누나에게는 너무나 고된 삶이 아니었을까. 삶의 투쟁은 여성에게 더 가혹했을 게 뻔했을 테니 말이다. 주인집 어린 아들은 자신이 얼마나 옹졸했는지 아주 오랜 시간이 지나서야 겨우 깨닫고 부끄러워졌다.

주둥이가 깨진
커피 서버를 활용한
티끌 모아 인테리어.
『총, 균, 쇠』도 인테리어!

이제는 제가 식탁에서 글을 씁니다. 집에 공간이 제법 있어도 결국 자주 머물게 되는 곳은 정해져 있어요.

리모델링은
리멤버링

"우리는 건축 없이도 살 수 있고, 기도도
할 수 있지만, 그것 없이 기억할 수는 없다."

– 존 러스킨(John Ruskin)

우리가 구도심 단독주택으로 이사한 데는 경제적인 이유
가 컸지만 또 다른 이유도 있었다. 내가 좋아하는 것들이 이
오래된 도심에 많기 때문이다. 오래된 건물, 오래된 식당,
오래된 술집 그리고 오래된 기억들.

그렇다. 세상 일이 모두 돈의 논리로 움직이는 것 같지만,
한편에서는 세상을 좀 더 엉뚱한 방향으로 마치 직선이 아
닌 곡선으로 끌어당기는 어떤 자력들이 있다고 나는 생각한
다. 자기도 모르게 그런 끌림에 이끌리는 일들이 있는데, 우
리가 이곳 구도심에 터를 잡은 것도 그래서가 아닌가 싶다.

이 오래된 동네가 풍기는 어떤 기억과 정서들이 익숙했던 게 아닐까. 인천에 아무 기억과 연고가 없는 아내는 고맙게도 내 의견에 기꺼이 따라주었다.

나는 지금 우리가 살고 있는 동네 근처 고등학교를 졸업했다. 그렇다고 당시 이 동네에 살았다거나 연고가 있지는 않았다. 내가 살던 곳은 주로 인천 용현동과 주안 쪽이어서 학교와는 거리가 있었다. 학교를 졸업하고 이 동네에 다시 오리라고는 전혀 생각지도 못했다. 대학에 진학하며 거리가 멀어지기도 했지만 인천 여기저기 신도시들이 생겨나며 이곳에 살던 사람들도 하나둘 떠나기 시작했다. 졸업 후 한두 번 배다리 헌책방에 책을 사러 온 적은 있었지만 그 후로 동네는 기억에서 빠르게 잊혔다.

내가 고등학교를 다니던 1990년대만 해도 인천에서 이곳 동인천은 번화가였다. 동인천은 늘 학생들 천지였고 학생들 천국이었다. 서울로 치면 명동과 종로를 한데 모아놓은 그런 응축된 공간이었다. '약속의 땅' 대한서림을 중심으로 분식집이 한 집 건너 하나씩 있었고 탁구장, 오락실, 문방구, 레코드 가게 심지어 '학생백화점'이 상권 한복판에 있었다. 지하상가는 또 얼마나 번창했는지 학생들이 원하는 것과 원하면 안 되는 것들까지 모든 것을 갖추고 있었다. 다만 지상과 다른 것은 지나다가 신발에 눈이라도 잘못 굴렸다가는 그 신발을 사지 않고는 지하 세계를 벗어날 수 없는 그런 어둠의 포스가 있었다고 할까. 우리는 '삐끼' 형들과 눈이 마주치지 않기 위해 얼마나 노력했던가.

옷을 사러 갔다가 일명 '빨간 책'까지 사는 원 플러스 원 강매 행사가 도처에 난무했던 곳. 오성과 미림에 영화를 보러 양키시장까지 진출하는 날에는 세상은 그야말로 '던전' 그 자체였다. 다시 지상으로 올라와도 진풍경이 난무했다. 등굣길 동인천역부터 시작해 대한서림 방향으로 이어지는 학생들의 교복 행렬은 마치 남극 펭귄 떼들의 행진과도 같았다. 교복은 학교마다 하나같이 왜 그렇게 칙칙하게 비슷했던지 멀리서 보면 마치 「월리를 찾아라」처럼 모두 그 애가 그 애 같을 지경이었다. 좁은 골목마다 담배 피우는 형들과 누나들이 있었고 재수가 없는 날은 하루에 세 번이나 '삥'을 뜯기기도 했다.

좀 더 멀리 가서 신포동과 차이나타운으로 길을 넓히면…… 아, 신포동! 그때 신포시장의 닭강정은 맛있었다. 신포만두 쫄면은 또 어떤가. 배고픈 시절이었기 때문이었는지 궁색해서였는지 그때 신포시장에서 먹었던 튀김과 만두, 순대, 떡볶이들은 정말 맛있었다. 자유공원과 차이나타운까지 진출하는 건 좀 두려운 일이었다. 나 같은 쫄보에게 공원과 공원 너머 차이나 세계는 벌건 대낮이 아니고서는 아예 갈 생각도 할 수 없는 그런 곳이었다. 좁은 골목에 향신료 냄새와 알아들을 수 없는 언어들이 한데 뒤엉켜 자장면보다 더 거무튀튀한 음침함을 내뿜던 곳. 신포동의 울퉁불퉁 근육질 같은 골목에서 놀던 형들도 발길을 함부로 들일 수 없었던 그런 '넘사벽'의 세계가 차이나타운이었다.

20여 년도 훌쩍 지나, 내가 다니던 고등학교 근처에 살게 되면서 잊었던 그때 기억이 많이 떠오른다. 배다리 헌책방에서 책을 샀던 일들. 영화여상 학생들의 촌스런 체크무늬 교복과 타자기를 들고 다니던 빨간 교복의 중앙여상 학생들. 하필이면 학교 바로 아래 같은 이름의 절이 있어서 스님이라 불리던 위아래 회색 교복의 광성고 아이들. 보는 이들이 더 창피했던, 역사에 남을 광성중 초록색 교복은 아예 이야기를 말자. 까까머리 아이들을 모두 수술실 외과의사로 둔갑시킨 그 에메랄드 초록빛 교복이란.

'리모델링은 리멤버링이다.'

추억이 있는 동네에 다시 와 살아보니 이 말이 이해가 된다. 내가 지금 사는 동네에 대한 기억이 있었기 때문에 여기

사는 것이 어쩌면 더 좋았을 수도 있다. 다행인지 불행인지 개발이란 풍파에서 빗겨나 있는 이곳엔 아직 그때 흔적들이 남아 있다. 그 흔적이 붙들고 있는 기억이 있어서, 사는 것이 나는 덜 퍽퍽하다. 그 기억 속 공간과 추억의 가게들로 들락거릴 수 있는 것이 이곳에 사는 즐거움 중 하나다.

집은 무엇일까. 자신이 살고 있는 동네, 그 공간에 산다는 것은 어떤 의미일까. 많은 사람들이 신도시를 향해 떠났지만 어떤 이들은 왜 남았을까. 무엇이 자신이 살고 있는 공간을 선택하게 하는 걸까. 단지 돈의 문제일까. 원래 살았던 곳이기 때문에, 살다 보면 정이 들기 때문에 익숙한 걸까. 사람들은 정말 자신의 의지로 선택한 곳에서 살고 있는 걸까. 비싼 동네 비싼 아파트에서 살면 정말 살기 좋은 걸까. 살기 좋다는 것은 또 무엇일까. 그럼에도 자신이 살고 있는 집과 동네는 얼마나 중요한 일인가.

'새가 알을 낳고 깃을 들이는 곳'이란 말이
보금자리라고 하네요.

단독주택살이 봉봉's 팁

1. 단독주택을 찾는다면, 본인이 잘 알고 있는 곳부터 살펴보세요. 등잔 밑이 어둡습니다. 동네에 대한 익숙함도 주택 구입 시 무시 못 할 중요한 점입니다.

2. 동네 정보를 알고 싶다면 세탁소, 미장원 같은 동네 인플루언서를 활용하는 것도 좋은 방법이에요. 부동산 앱도 많지만 오래된 동네일수록 오래된 방식이 더 효과적일 때가 많습니다.

바닥에 타일을 깔고 주방을 대면형으로 한 1층 거실.   © 변종석
벽과 천장은 도배를 했습니다.
벽을 허물고 H빔으로 보강을 해서 이런 거실이 가능했어요.

집문서가 어딨더라?

"등기권리증이 빠졌네요. 추가로 가져다 주셔야 해요."

"그게 뭐죠?"

"네, 아버님. 집문서 아시죠?"

나는 '등기권리증'에서 한 번 놀라고 '아버님'에서 한 번 더 놀랐다. 안심전환대출 신청 때문에 은행에 서류를 제출했는데, 빠진 서류가 있다며 전화가 온 것이다. 등기권리증이라 불리는 집문서는 분명 집 안 어딘가에 있을 테지만, 아버님은 도대체 누굴 말하는 건지. 정신이 혼미해졌다. 그런데 집문서가 어딨더라?

나에겐 고질병이 세 개 있다. 만성 허리병과 '후천성 뚜껑

안 닫기 병' 그리고 '물건 못 찾기 병'이다. 나는 내가 둔 물건조차 찾질 못한다. 아버님이 되어가며 점차 기억력이 쇠퇴하는 이유도 있겠지만, 왜 그런지 사소한 것도 어디에 뒀는지 기억이 잘 안 난다. 당연히 '이건 중요하니 잘 둬야지' 하는 것들은 열이면 열 너무 잘 감춰둬서 결국 아내에게 찾아달라고 부탁해야 한다. 그러니 집문서처럼 중요한 걸 어디에 뒀는지 알 턱이 없다. 결국 아내의 도움을 받아 등기권리증을 찾았다.

그나저나 '후천성 뚜껑 안 닫기 병'은 거의 모든 뚜껑들을 반 바퀴만 돌려놓는 희귀한 질병이다. 세 바퀴는 돌려야 꼭 닫히는 병뚜껑을 대충 쓱 얹어놓거나 아니면 반 바퀴만 돌려놓아 결국 대참사를 부르는 악성 질환. 후천성인 이유는 예전엔 안 그랬는데 결혼 후 증상이 나타났기 때문이다. 아내에게 욕을 바가지로 먹고도 질환이 전혀 호전되질 않는다. 그러지 말아야지 하면서도 정말 왜 그런지 나도 모를 일이다.

내 집이 처음이니 등기권리증이란 것도 처음 보았다. 집을 매입하고 고치며 수많은 일들을 겪어서인지 이 문서를 언제 누구에게 받았는지 기억이 안 난다. 놀랍게도 등기권리증에는 우리가 계약한 부동산 매매계약서가 들어 있었다.

소유권이전등기신청서가 있고 취득세를 낸 서류들도 있다.

그보다 더 놀라운 것은 '우리 집'에 살았던 이들의 이름들이 계약서 형태로 모두 담겨 있는 것이었다. 우리에게 집을 판 너무나 솔직했던 전 집주인과 그분이 집을 샀을 또 누군가의 이름. 또 그분들의 그분들까지. 타자기로 쓴 계약서부터 자필로 쓴 이름까지 이 집에 살았던 시간의 흔적이 모두 집문서에 고스란히 적혀 있다.

그러고 보니 집문서는 이 집을 거쳐 간 사람들을 기억하는 저장소인 셈이다. 등기권리증이란 딱딱한 이름에 그 내용은 더 딱딱한 계약서들이 전부지만, 이 문서에는 '집의 시간'이 쌓여 있다. 이 집에서 살았던 많은 이들의 삶과 기억들이 빛바랜 문서 한 귀퉁이에 고요히 앉아 있는 것이다.

그리고 이들의 흔적은 우리 집 곳곳 어딘가에도 남아 있을 테다. 누군지도 모를 이들과 우리가 살고 있는 이 '집의 시간'을 함께했다는 생각을 하니, 우리도 결국 이 집의 주인은 아니라는 생각에 이른다. 우리 역시 이 집이 내어준 공간과 시간의 일부를 살다 가는 사람일 뿐이지 않은가. 그렇다면 집의 진짜 주인은 무한한 시간이다. 우리는 잠시 집이 내어준 공간 안에서 저마다의 삶을 이렇게 저렇게 고치며 살다 가는 것이란 생각이 든다. 유한한 우리 인생이 그런 것처럼 말이다. 갑자기 '인생무상'에 맥이 풀린 아버님 같은 생각에 한참 등기권리증을 바라보았다.

　최근 〈집의 시간들〉이란 다큐멘터리 영화를 보았다. 재건축으로 집을 떠나야 하는 서울 둔촌주공아파트 주거민들의 이야기를 담담하게 담은 영화였다. 낡은 아파트지만 그 집이 내어준 공간 속에서 저마다의 삶을 살아온 주민들의 이야기, 조금씩 온도차는 있지만 자신들의 삶을 포근히 감싸주었던 집과 아파트 단지에 대한 애정을 영화는 인터뷰로 풀어놓는다.

　그런데 카메라는 이야기하는 사람의 얼굴은 보여주질 않고 계속 집의 이곳저곳을 비춘다. 마치 이사를 가기 전 마지막으로 집을 돌아보는 이의 시선처럼. 카메라는 집 안의 물건과 공간을 마음에 새기려는 듯 천천히 응시한다. 그 시선이 닿는 곳에는 집에 살던 이들의 체온이 고스란히 느껴진다. 아파트 단지에서 들리는 일상의 소리도 영화의 여운을 더 깊게 남긴다. 이곳이 곧 사라질 재개발 아파트라 하니, 그 감정은 더 크게 다가온다. 영화가 전하고 싶었던 것은 아마도 우리 삶을 영위했던 집이라는 공간과 그 공간에 머문 사람들의 기억인 듯싶다.

영화의 여운 탓인지 아니면 태어나서 처음 보는 집문서 때문인지 내가 살고 있는 집을 천천히 다시 바라본다. 이 집이 기억하는 사람들. 이곳에서 보냈을 저마다의 기억들. 우리도 이 집이 내어준 공간에서 잠시 유한한 삶을 살다 가는 거겠지. 우리가 이 집의 주인임을 증명해주는 집문서는 역설적이게도 내게 그렇게 말하고 있었다.

단독주택살이 봉봉's 팁

1. 주택을 부부 공동명의로 하면 좋은 점이 있어요. 나중에 집을 팔 때 양도소득세에 대한 절세 효과가 있고 혹시 종합부동산세를 내게 된다면 이 역시 유리합니다. 임대나 증여, 상속 때에도 단독명의보다 세금을 줄이는 효과가 있다고 하네요.

2. 불편한 점도 있는데 대출 시, 부부 모두 대출서류를 준비해야 하고 이자 부분에서도 단독명의보다 불리한 상황이 생길 수도 있습니다.

3. 하지만 1가구 1주택이고 부부 모두 근로소득이 있다면 대체로 공동명의가 유리합니다. 단독명의 집이라도 공동명의로 등기를 전환할 수 있습니다. 단 양도분에 대한 양도세와 취득세를 내야 해요. 부부 사이 양도세 면제는 10년간 6억 원이니, 그 이하라면 양도세는 내지 않아도 됩니다.

백만 번의
집들이

토요일 오후, 아내와 비빔면으로 점심을
때우려는데 초인종이 울렸다.

"누구세요?"
"여기 집을 좀 보러 왔는데요."
"네?"

안 그래도 아까부터 누군가 우리 집을 계속 염탐하는 것
같다고 아내가 그러더니 초인종을 누른 이들은 밖에서 서성
이던 중년의 부부였다. 이들은 담장이 없는 우리 집 문 앞에
서서 말을 이어갔다.

"○○건축사무실에서 리모델링하셨죠? 저희도 거기서 상

담했는데, 이 집이 너무 마음에 들어서요."

"아…… 네."

"안에 들어가는 건 좀 그러니까, 혹시 괜찮으시면 옥상이라도 좀 볼 수 있을까요?"

"네엣?"

이야기를 들어보니 우리와 같은 업체에서 최근 리모델링 상담을 했고 아직 결정을 못 한 상황인데, 우리 집을 보고 최종 판단을 하고 싶었던 모양이다. 주소를 안 가르쳐주는 걸 겨우 사정사정해서 서울에서 인천까지 집을 찾아왔다는 것이다.

"아……. 그런데 지금 저희가 점심을 먹고 있어서요."

"리모델링하는 데 얼마 들었어요?"

"네? 아……. 그게 지금 이렇게 이야기하기도 그렇고."

주말 오후에 이렇게 남의 집에 불쑥 찾아와서 다짜고짜 집에 들어올 것 같은 이런 상황이 너무 당황스러웠다. 어디에 집을 맡겨야 할지 확신이 안 서는 이분들의 마음은 이해가 됐지만 그래도 이렇게까지는 좀 곤란하지 않은가. 어떤 심정으로 여기까지 찾아와 초인종까지 눌렀을까 이해 못 할

바는 아니지만 그렇게 빈틈을 보였다가는 안으로 들어와 비
빔면에 젓가락까지 얹을 기세였다. 안에서는 지금 면이 불
고 있는데, 어서 정중히 돌려보내야 했다.

"저희 집은 거기서 끝까지 성심성의껏 잘해줬으니까 걱
정 마시고 맡기셔도 될 것 같아요. 저희가 지금 점심을 먹어
야 해서요. 더 이야기하기는 어려울 것 같습니다."
"아, 그렇죠. 알겠습니다. 안녕히 계세요."

현관문을 닫고 들어오니 놀란 표정으로 아내가 묻는다.

"무슨 일이래?"
"그러게. 별일이 다 있네."
"요즘 집들이가 뜸해지나 했더니, 이런 일도 있네."

이사를 하고 집들이를 백만 번은 한 것 같다. 양가 부모님
을 시작으로 친구들과 선후배 동료들 그리고 동네사람들까
지 우리 집을 구경하러 왔다. 근처에서 술을 먹다가 갑자기
들이닥친 이들도 있고, 정말 옛날 방식으로 집 앞에 찾아와
나를 부르기도 했다. 구도심의 작은 주택을 리모델링했다고
하니 궁금한 건 당연했다. 우리 집에 구경 온 이들은 또 서

로서로 아는 사람에게 소문을 퍼트리고 그 사람들이 또 우리 집을 찾았으며 심지어 동네 서점에서는 '마을 탐구생활, 우리 함께 살아요'라는 집 소개 프로그램을 만들어 단체로도 찾아왔다.

나도 지역사회에 이런저런 인맥이 있던 차라 잡지사와 집에 대해 인터뷰를 하기도 했다. 심지어는 어떤 교류 프로그램 일환으로 우리 동네에 일본 영화 관계자 분들이 오시는데, 우리 집에서 음식을 같이 해 먹으면 어떻겠냐는 부탁이 들어온 적도 있었다. 구도심 단독주택을 고쳐 사는 게 뭐 별스러운 일이라고, 생각지도 않았던 손님들이 별스럽게 우리 집에 대해 궁금해했다. 사실은 그렇게 내세울 만한 게 하나 없는 집인데 말이다.

처음에는 이것저것 예쁜 것들로 손님을 맞았다. 아내는 신혼 초 빛났던 요리 솜씨를 발휘해 집들이 날은 곧 만찬의 날이자 미뤘던 청소를 해야 하는 대청소의 날이기도 했다. 친구들과 밤늦게까지 집에서 술 먹고 이야기를 하는 걸 우리도 좋아했기 때문에 처음에는 집들이가 즐거웠다.

하지만 그런 일이 계속되다 보니 주말이면 으레 손님 맞는 일로 피곤이 쌓여갔다. 집에서 하던 요리는 시켜 먹게 되고 나중에는 그것도 귀찮아서 아예 밖에서 밥을 먹고 집에서는 차나 맥주 정도를 먹는 걸로 집들이는 간소화되었다. 나중에는 그것도 꽤 큰 부담이 되어, 이렇게 집들이하다가는 거덜날 수도 있겠다는 생각이 들었다. 친한 이들에게는 '집들이 선물 대신 먹을 거를 싸 와라'라는 주문을 했다.

집들이는 결국 집에 대한 품평회장이어서 한바탕 웃고 떠들고 나면 우리가 선택한 집에 대한 감상이 오간다. 아파트의 평면적인 구조에 익숙한 이들에겐 반지하부터 시작하는 이층집의 입체감이 놀라울 수밖에 없다. 그것이 훌륭해서라기보다 공간을 보는 눈에 대한 교정이 필요했기 때문이다.

"집이 정말 예쁘다. 리모델링하는 데 얼마 들었니?"
"옥상이 있어 너무 좋겠다. 다음에는 옥상에서 고기 구워 먹자."
"집에서 애들이 뛰어도 되니 너무 좋네. 그런데 애들 교육시키기에는 동네가 좀……."

단독주택에 사니까 좋은 게 무어냐부터 시작해 집값은 얼마인지, 리모델링 비용은 얼마나 들었는지 보통 이런 이야기가 오간다. 우리를 부러워하는 친구도 있고, '그래도 아파트가 낫지' 하는 친구들도 있다. 생각은 모두 다르니 뭐가 맞고 틀리다 할 수 없는 일이지만 이런 이야기를 반복적으로 하다 보니, 집에 대해 중요하게 생각하는 것들이 사람마다 다르다는 걸 알게 되었다.

아파트에 사는 이들에게 우리 집은 일종의 단독주택 모델하우스 역할을 했다. 우리가 제시한 모델하우스는 집값 매력 있음, 실내 구조 재미있음, 내부 인테리어 나쁘지 않음, 하지만 주위 환경 별로 좋지 않음, 그래서 아이들 교육시키는 데 좀 문제가 있다는 걸로 의견이 좁혀졌다. 말하자면 '학세권'이 약점이라는 것.

'그러면 모두 목동이나 강남으로 이사 가야 하는 거 아니냐'로 나도 쉽게 물러나지 않는다. 이에 덧붙여 '노포권'과 '추억권' '층간소음해방권'까지 두루 갖추고 있다는 걸로 구도심 단독주택을 변호한다. 그러면 그게 또 무슨 권리인가로 한바탕 설전이 이어지고, 아니 그러면 '스세권'이니 '맥세권'이니 이런 거보단 훨씬 낫지 않느냐로 다시 응수한다. 게다가 집 바로 앞에 초등학교가 있는데 이 얼마나 큰 공교육의 혜택 즉 '학세권'이 아닐 수 있단 말인가. 게다가,

"구도심 학교에 애들이 별로 없대. 한 반에 애들이 몇 안 되니까 선생님이 얼마나 더 자세히 가르치겠니? 안 그래?"

집들이는 축하의 자리이기도 하고 집주인이 얼마나 센스를 갖춘 사람인가를 심판하는 자리이기도 하다. 또한 평소 집에 대해 갖고 있던 생각을 교환하고 수정하는 시간이기도 하다. 때론 서로 건널 수 없는 간극을 느끼기도 하고 때론 그러므로 내 집이 최고임을 다시 확인하는 순간이기도 하다. 그런데 수많은 집들이를 하며 내가 느낀 분명한 사실은, 사람들은 집이 투자의 대상이기 전에 정말 중요한 삶의 공간임을 공감하고 있다는 것이었다. 다만 세상이 그렇게 가만히 두질 않아서, 불안하다는 것이다.

우리 집에 놀러 온 이들이 본 것은 무엇이었을까? 그들이 보고 싶은 것은 집도 집이었겠지만 그 불안감을 과감히 버려버린 용감한 사람 혹은 무모한 이들이 아니었을까. 그리고 이들의 행위가 과연 행복인가 아닌가 하는 의문을 품은 채 집으로 돌아가 자신의 집에 더욱 안도하거나 아니면 괜한 집을 타박했을지도.

단독주택살이 봉봉's 팁

1. 집들이는 간략히. 집들이하다가 거덜납니다. 손님도 맞는 사람도 부담 되긴 마찬가지. 하지만 빈손으로 가기도 또 맨입으로 앉아서 이야기하기도 뭣하니, 손님들이 먹을 걸 가져오는 것을 추천해요.

2. 웬만한 리모델링 업체라면 포트폴리오가 있어요. 초인종을 누르지 말고 그걸 봅시다!

2.
집을 사니
동네가 왔다

"주소 불러줘 봐."

"인천 동구…… 1층."

"뭐야. 주택 살아?"

단독주택으로 이사를 하고 한동안 주소 쓰는 게 어색했
다. '몇 동 몇 호' 이렇게 써 버릇하다 '1층'으로 끝을 맺으려
니 뭔가 덜 쓴 것 같은 느낌이랄까. 사실 '1층'도 쓰지 않아
도 되는데, 주소가 너무 짧고 어색하여 일부러 쓰는 것이다.

○○아파트처럼 우리 집도 따로 이름은 있다. 우리 집 리
모델링을 맡은 건축사 사무실에서는 공사가 끝나면 집마다
이름을 지어주는데, 우리 집 이름은 '문턱 없는 집'이었다.
건축사들과 상담할 때 지하실 활용을 두고 '누구나 문턱 없

이 이용할 수 있는 아지트가 되었으면 좋겠다'는 내 말을 듣고 붙인 이름이다. 그래서 담도 헐고 담장도 없는 집으로 하려 했다. 하지만 공사를 하던 중 낮더라도 담장이 있어야겠다는 연락이 왔다. 문턱이 없으니 사람들이 모르고 집에 들어올 수도 있겠다는 의견이었다. 대신 메탈리스 망으로 낮은 노출 담을 만들자는 건축사의 의견을 따랐다. 그래서 다시 '문턱 있는 집'이 되었다.

준공이 나고 입주를 하면 건축사무실에서 집에 문패를 달아주는데 다시 집 이름이 고민이었다. 문턱도 생겼고 '문턱 없다'는 말 자체도 아내는 부담스럽다 하여 고심 끝에 '오붓'으로 이름을 바꾸었다. '홀가분하면서 아늑하고 정답게'라는 그 말뜻처럼 살자는 아내의 작명이었다. 하지만 정작 아무도 그렇게 부르지는 않았다.

그러고 보니 예전에는 집마다 명패가 있었고 집집마다 별칭 같은 것도 있었다. '이발소 옆집'이나 '쌀가게 집' '수돗가 뒷집' '파란 대문 집' '큰 나무 집' 등등. 생긴 것이 다 다르듯 그 이름도 달랐다. 집에도 이렇게 이름을 붙여 불러주던 다정한 시대였던 것이다. 아파트에서만 살다 보니 이런 기억들도 모두 잊어버리고 말았다.

"새로 이사 왔죠? 학교 앞 이층?"

"네. 어떻게 아셨어요?"

"우리야 뭐 여기 오래 살았으니까. 새로 오는 사람 척 보면 다 알지. 집 예쁘게 고쳤던데?"

"아……. 네."

"어디서 했어요? 우리 집도 좀 고치게."

이사하고 얼마 후 드라이클리닝을 맡기러 동네 세탁소에 갔다. 아마도 분명히 이 동네 인플루언서로 보이는 세탁소 아주머니께서 우리를 반갑게 맞으셨다. 그때부터 이어지는 인플루언서 특유의 친화력과 붙임성에 아주머니를 팔로우하고 하트까지 여러 번 누를 뻔했다. 아주머니는 처음 보는 사람의 직업과 나이, 고향, 가족관계 그리고 취향까지 모두 술술 불게 만드는 놀라운 말솜씨를 갖고 계셨다. 내 또래인 당신의 아들도 집을 장만해야 하는데, 요즘 아파트가 너무 올라서 걱정이라는 푸념까지 이어졌다.

나도 이렇게 서서 취조를 당하는 게 마냥 싫지는 않았다. 은은한 비취색 타일 때문에 독특하게 보이던 세탁소 건물 내부는 더 독특했기 때문에 눈으로 이곳저곳 구경하던 참이었다. 세탁소 건물은 안쪽 살림집과 붙은 구조로 천장이 높고 깊었다. 그 높은 천장에는 이름표가 붙은 옷들이 대롱대

롱 걸려 있었다. 아마도 이렇게 옷을 매달기 위해 층고를 높인 게 아닌가 싶었다. 게다가 족히 50년은 되어 보이는 재봉틀과 갖가지 집기들이 내 눈을 사로잡고 있었다.

"네? 뭐라고 하셨죠?"

"이거 전부 드라이할 거냐고?"

"네. 그런데 이 재봉틀은 얼마나 된 거예요?"

"몰라요. 아마 백 년은 됐을걸. 아직도 이렇게 발로 밟아서 하는 데는 아마 우리 집밖에 없을 거야. 그래도 이렇게 잘 돌아."

세탁소는 영업을 시작한 지 50년은 되어 보이는 구멍가게와 마주보고 있었는데, 그 구멍가게 대각선에 있는 중국집도 50년은 넘었다고 들었다. 그나마 40년 된 세탁소가 근래생긴 거였다. 그러니 이제 이사 온 우리는 당연히 어디 사는누군지 동네 사람들 모두가 알 만했다.

"그런데 여기 이렇게 쓰여 있는 건 옷을 맡긴 사람들 이름인가요?"

"응. 그렇지. 이건 저기 도깨비, 이건 저기 헌책방, 이건미장원."

"과학수사도…… 문방구예요?"

"아, 그건 여기 옛날 동부서에서 과학수사 하던 양반인데, 딴 데로 이사를 갔는데도 우리 집에 맡기러 와. 우리가 워낙 잘하니께. 하하."

"과학수사대 경찰이요?"

아주머니는 당신대로 사람을 기억하는 방식이 있었다. 이름을 알면 이름을 적었고 이름을 모르면 옷을 가져온 사람의 특징이나 집을 적으셨는데, 가만히 옷에 붙어 있는 이름들을 보니 웃음이 났다. 초등학교 시절 친구들 별명을 다시 만난 기분이랄까. 내 초등학교 친구들. '삐뚤이' '뚱땡이' '하마' '꺼벙이' '땜빵' '깜상'. 누가 봐도 직관적이고 명쾌하고 때론 불쾌한 별명들. 순간 잊었던 친구들의 얼굴들이 스쳐 갔다. 구도심에 살다 보니 잊었던 기억들이 동네 여기저기에서 불쑥불쑥 피어올랐다.

"언제 찾으러 올까요?"

"한 3일 있다가 와요. 최선을 다할게."

"네. 근데 저희 집은 뭐라고 이름 붙이실 거예요?"

"뭘 물어? 당연히 '학교 앞 이층'이지."

이 동네 '슈퍼 인플루언서'가 이름을 정하셨으니, 우리 집은 이제 '학교 앞 이층집'이 되었다.

단독주택살이 봉봉's 팁

동네 오래된 세탁소에는 사실 기술자들이 많습니다. 예전부터 옷을 만들던 분들 가운데 맞춤복 유행이 사라지자 세탁소로 직종을 전환한 분들이 계시거든요. 프랜차이즈 세탁소에서 해결하지 못하는 것들도 이 분들은 척척 수선해줍니다.

우리 동네
한 바퀴

"자기가 살고 있는 곳에 대해 애정을 가지고 이해를 시작하는 것, 이게 바로 건축학개론의 시작입니다."

과제 때문에 영화 〈건축학개론〉을 다시 본 아내가 영화에 나온 대사라며 내게 들려주었다. 그리고 보니 '납득이'와 노래 〈기억의 습작〉만 떠오르던 이 영화의 이야기는, 풋풋했던 첫사랑의 시간과 그 시간이 머문 공간에 대한 것이었다. 건축학개론 수업을 듣던 남녀 주인공들은 같은 공간을 탐색하다 애정이 싹튼다.

건축학에 대해 아는 바 없지만, 그것이 공간에 대한 애정에서 시작한다는 말은 절로 납득이 간다. 공간에 대한 이해 없이 지어지는 건물들을 보면, '참 애정 없이 지었구나'라는 생각을 해왔다. 이해의 시작은 애정이고, 그 애정은 공간에 아름다움을 불어넣는 힘인 것이다.

장소에 대한 애정은 그곳에 살면서 생기는 게 보통이다. 그것도 어느 정도 나이가 들어야 가능한 일인 듯싶다. 우리도 이곳 구도심 단독주택으로 이사해 살면서 동네를 이해하게 되었고 그 이해 덕분에 애정도 커졌다. 집을 사는(賣) 것은 동네를 사는(活) 것이다. 우리가 살고 있는 동네는 아파트 단지처럼 어떤 브랜드는 없지만, 대신 '배다리'라는 독특한 이름이 있다.

동네의 역사는 그 역사가 대한제국 개항시대까지 거슬러 올라간다. 당시 작은 어촌마을이던 제물포에서 살다 일본인들에게 밀려난 조선인들은 이곳에 동네를 형성했다. 언제부터인지 사람들은 이 동네를 '배다리'라고 불렀다. 지금은 그 흔적을 찾을 수 없지만, 동네까지 이어진 갯골을 따라 배가 드나들었다고 한다.

이곳에 이사를 한 후, 동네를 알기 위해 틈이 나면 산책을 한다. 어디에 무엇이 있나 머리에 지도를 그리기 위해서이다. 집을 나와 좁은 골목으로 발길을 옮겨 걷다 보면 갑자기 텅 빈 공터가 나온다. 누구는 생태공원이라고 부르고 누구는 텃밭이라고도 부른다. 공터 옆 고가 철교로는 동인천 역에서 출발한 1호선 기차가 지난다. 공터 언덕에는 꽃들이 한창이고 한쪽 구석에는 요즘 찾아볼 수 없는 정자가 우두 커니 서 있다. 이야기를 들어보니 원래 이곳 공터에는 집들 이 있었다고 한다. 10여 년 전, 그곳에 산업 도로를 내기 위 해 모두 허물었다. 하지만 도로를 내려던 계획은 주민들과 사회활동가들의 반대 운동으로 무산되었다. 덕분에 이렇게 숨통이 트이는 공간이 생겼고 도로는 지하화하는 것으로 계 획이 변경되었다. 그 과정 속에 태어난 것이 정자였다.

공터를 지나 걷다 보면 길가에 사람보다 큰 깡통 로봇이 서 있다. 로봇이 지키고 있는 이곳은 예전에는 인천 탁주를 만들던 오래된 양조장이었다. 지금은 당시 모습을 보전한 문화 공간으로 탈바꿈하여 지역의 명소가 되었다.

이름 또한 문화양조장. 가끔 전시와 공연이 열리고 모임 도 이뤄진다. 우리도 리모델링 초반, 건축사들과 함께 도면 을 펼쳐놓고 이야기할 마땅한 장소가 없어서 이곳을 이용한 적이 있다. 동네에 이런 열린 공간이 있다는 것은 즐거운 일 이다. 동네 구심점 역할도 하고 지역 예술가들의 무대가 되 기도 한다. 놀라운 것은 이런 공간이 공공의 영역이 아니라 몇몇의 의지로 어렵게 운영되고 있다는 것이다.

건물을 나오면 헌책방 길로 이어진다. 드라마 〈도깨비〉 때문에 아직도 사람들이 그 앞에서 사진을 찍는 '한미서점' 이 정면으로 보인다.

나는 그 옆에 있는 '삼성서림'을 좋아한다. 사장님께서 믹스 커피를 타주시고 클래식 음악을 들을 수 있기 때문이다. 심심한 날이면 커피를 한 손에 들고 천천히 헌책을 구경하는 느긋함이 좋다. 가끔 사장님께서 클래식 기타를 연습하시는데 그 소리도 좋다. 내가 가면 사장님은 오래된 LP를 들려주신다. 음악도 좋지만 음악을 들려줄 때 어르신의 소년 같은 미소가 좋다.

이야기를 들어보니 서점 건물 위층은 일제강점기 때부터 유도장으로 쓰인 곳이라고 한다. 몇 해 전까지만 해도 유도관으로 쓰였다. 그 안에 한번 들어가 볼 일이 있었는데, 아직도 오래된 유도관 물건이 남아 있었다.

이 건물 외관에 붙은 벽시계는 언제부터 세월을 멈춘 건지, 늘 10시 25분을 가리키고 있다. 헌책방 삼거리에 있는 시계를 볼 때마다 영화 〈백 투 더 퓨처〉의 시계탑이 생각난다.

길을 따라 철교 쪽으로 걷다 보면 고양이가 가게를 보는 책방이 있다. 고양이 '반달이'가 주인인 신간 책방이다. 이 책방이 들어선 건물은 동네가 잘 나가던 1950~70년대 이곳의 랜드마크였다고 한다. 아직도 당시 간판인 '조흥상회'를 달고 있다. 주인 '반달이'를 모시는 집사는 책방을 비우는 일이 많은데, 반달이가 하는 일도 사실 거의 잠을 자는 것뿐이다. 손님은 알아서 책을 사고 알아서 돈을 낸다. 가끔 들러 집사와 사는 이야기를 나누고 주인님을 쓰다듬는 재미가 있다.

책을 한 권 사들고 나와 철길 아래로 대로를 건너면 '싸리재' 길이다. 싸리재 역시 배다리처럼 오래된 이름이다. 지금은 개항로라는 도로명으로 바뀌어 카페와 음식점들이 들어섰다. 이 길을 따라 걷다 보면 우리나라 최초의 영화관 '애관극장'이 있고 그 길 끝을 건너면 신포동이다. 신포동은 '인천 맛의 일번지'로 그곳을 드나드는 이들을 모두 포동포동 살찌우는 곳이다.

구도심에 살아 좋은 이유 중 하나는 그동안 내가 사랑한 오래된 가게들에 이제는 집에서 걸어가 먹을 수 있다는 것이다. 생각만 해도 흐뭇한 일이다. '맛있는 식당이야 먹고 싶을 때 차를 타고 가서 먹으면 될 걸, 굳이 근처에 산다고 좋을 것까지 있나?' 이렇게 생각할 수도 있지만 마음먹고 차 타고 가는 것과 아무 때나 내킬 때 걸어가 먹는 것은 차원이 다른 일이다.

그것은 말하자면 마치 내 애인과 한 동네에 살고 있는 것과 같은 기분이다. 지척에 사랑하는 이가 살고 있다는 것. 이른 아침이나 늦은 밤에도 보고 싶을 때면 언제나 애인의 집 근처를 서성일 수 있다는 것. 살며시 그의 창문을 두드릴 수 있다는 것. 동네를 사는 데 그런 두근거림이 있다는 애기다.

애인을 보기 위해 걸어가는 그 길의 공기가 차로 이동하는 도로와 같을 리 없고, 애인의 옆집이 늘 텅 비어 있는 주차장이었으면 하고 바라는 것과 같을 수 없다. 당신의 공간 속에, 당신의 시간에 내가 함께한다는 그런 못 말릴 애틋함이라고 해야 할까. 그래서 오늘도 동네 산책은 단골집에서 끝난다는 것?

단골 세탁소의 오래된 미싱.

단독주택살이 봉봉's 팁

1. 어디든 단골이 되어보세요! 삶의 소소한 재미입니다.

2. 어느 동네건 찾아보면 맛집이 있습니다. 그걸 찾아내는 모험이 동네를 사는 즐거움이 되기도 하죠. 잘 모르겠으면 노인 손님들이 많은 곳에 가보세요. 까다로운 그들의 입맛을 사로잡은 나름의 이유가 있더군요. 노포 맛집을 찾아 헤매던 제가 요즘 찾는 건 바로 '어르신'들입니다!

CCTV
고양이

구도심 주택으로 이사를 오니 모든 게 낯설었다. 음식물 쓰레기를 버리는 용기가 따로 있다는 것과 그것도 버리는 날짜가 정해져 있어서 아무 때나 밖에 내다 놔봐야 가져가지 않는다는 걸 나중에 알았다. 쓰레기도 마찬가지여서 처음엔 왜 우리 집 쓰레기만 안 가져가는지 궁금했다. 보다 못한 옆집 통장님이 쓰레기는 목요일과 일요일에만 가져가고 분리수거는 화요일, 음식물은 월·수·금요일에만 가져간다고 알려주셨다. 하지만 그 후에도 요일이 헷갈려 쓰레기를 내다 놨다 다시 들여오기를 몇 차례 반복했다.

그보다 낯선 건 저녁 풍경이었다. 낮에도 사람이 별로 없긴 했지만, 해가 지고 나면 동네는 쥐 죽은 듯 고요했다. 주로 어르신들이 살고 계셔서인지 밤이 되면 이따금 지나가는 자동

차 소리나 1호선 기차 소리가 들릴 뿐 인기척이라고는 거의 느껴지지 않는다. 그래서 가끔 야간 연습을 하는 집 앞 초등학교 야구부 학생들의 소리가 그렇게 반가울 수가 없었다. 그나마 요즘엔 코로나 때문에 그 소리도 듣기 어려워졌지만.

이러다 보니 밤길이 걱정되는 건 당연했다. 구도심 가로등은 왜 그렇게 희미하게 띄엄띄엄 있는지, 아니면 불 밝힌 상가들이 없어서인지 밤길은 늘 어두컴컴했다. 지금이야 익숙해져서 걱정하지 않지만 이사 온 뒤로 한동안 밤늦게 집에 들어가는 길이 나도 편치는 않았다. 그러니 아내의 불안은 당연했다.

이사한 며칠 후 아내는 집에 CCTV를 설치하자고 했다. 설치비를 알아보니 카메라 개당 25만 원은 들어야 했다. 설치비를 제외한 금액이었다. 예상치 못했던 돈이 또 나가야 했다. '이걸 직접 해봐?' 그러나 아무래도 내가 감당할 수 있는 일이 아닐 듯했다.

"불안해서 그러는 거면 모형 CCTV도 있다는데?"
"아니야. 진짜로 달아야 해."
"그런데 이거 때문에 우리 부잣집처럼 보이는 거 아냐?"

나에게 CCTV는 부잣집의 상징이다. 어린 시절 내가 살던 동네에는 CCTV는 고사하고 집에도 TV가 없는 집들이 많았다. CCTV라는 게 있다는 것을 아는 사람도 별로 없지 않았을까. 하지만 학교 근처 부잣집 동네를 지나다 보면 높은 저택의 담장 모퉁이에는 늘 하얀색 CCTV가 있었다. 밖에다 TV를 달 정도면 그 안은 대체 어떻단 말인가. 그 자체가 부의 전시였다. 그래서인지 마당도 없는 우리 집에 CCTV라니 왠지 어울릴 것 같지 않았다.

우리 집에는 귀중품이라고 할 만한 게 아무것도 없다. 결혼 예물이란 걸 서로 하지 않았기 때문에 금붙이나 보석도 없고, 하다못해 값나가는 시계나 장신구도 없다. 그나마 아내가 모으는 5백 원짜리 동전 저금통과 노트북 정도가 들고 갈 만한 것이려나. CCTV를 뚫고 들어온 도둑이 '이럴 거면 CCTV는 왜 달았나' 하며 난감해할 표정을 생각하니 웃음이 났다.

하지만 도둑이 들까 CCTV를 설치하자고 한 것은 아니니 일단 업체에 설치를 맡겼다. 1층과 2층 출입구 세 곳에 카메라를 설치하는 데 100만 원 정도의 금액이 들었다. CCTV 설치로 아내의 불안은 잦아들었다. 존재 자체만으로 안심이 되는 모양이다. '그게 뭐 필요할까' 생각했던 나도 한편으로는 안심이 되었다.

"이거 와서 봐봐. 새끼 때문에 그랬던 거구나."

아내가 휴대폰을 내밀었다. CCTV 영상을 휴대폰으로도 확인할 수 있었다. 화면에는 어미 고양이와 새끼 고양이가 현관 앞에 우리가 놓아준 밥을 먹고 있었다. 동네에는 길고양이가 많았다. 고양이를 좋아하는 아내는 아침저녁으로 밥을 챙겨주고 있었다. 아마 대여섯 마리가 밥을 먹는 듯했다. 어떤 고양이가 현관 앞에서 진을 치고 있는 날도 있었다.

그중에 한 녀석은 우리를 보면 밥 달라고 애절한 눈빛을 보내다가도 막상 다가가면 '하악질'을 해댔다. 밥을 주는데 하악질까지 당해야 하나. 애교까지는 아니더라도 좀 상냥하게 굴면 좋을 텐데, 아내는 서운해했다. 그런데 CCTV를 보니 그 이유를 알 수 있었다. 새끼 때문이었다. 나풀거리는 발걸음의 어린 새끼가 어미 뒤에 숨어 있는 것이 보였다.

고양이 CCTV 보기. 아내의 취미가 하나 더 생겼다. 곁을 주지 않는 길고양이들을 그나마 이렇게라도 보며 아내는 좋아했다. 식탐이, 식탐이 새끼, 까망이, 점박이, 큰 점박이, 작은 점박이, 노랑이, 양아치. CCTV에는 다양한 고양이들이 등장했다. 우리 집이 맛집으로 소문이 났는지 날이 갈수록 손님들은 늘어났다. 하지만 고양이 손님이 많아지게 되자 다른 문제가 생겨나게 되었다.

© 봉봉아내　　옆집 기와 지붕을 지나다 아내와 눈이 마주친 흰둥이.

단독주택살이 봉봉's 팁

1. CCTV 설치는 업체에 맡기세요. 옆에서 도와주느라 일하는 걸 봤는데, 셀프로 할 일이 아닙니다. 돈 아끼려다 더 큰 일 치르게 됩니다.

2. 집에서 길고양이 밥을 챙기는 것은 여러모로 고민하고 시작하길 권합니다. 계속 고양이들 밥을 책임질 수 없다면 시작하지 않는 게 차라리 낫다고 하네요. 고양이들이 늘 먹던 곳에 먹이를 의존하기 때문입니다. 밥을 주다가 그만두게 되면 너무 미안하고 가슴 아픈 일이 됩니다.

내가 살던 집,
나를 키운 집

길고양이들 밥을 챙기는 걸 그만두었다. 배설물 때문이다. 손바닥만 한 마당과 지하실로 내려가는 계단 한편에 고양이들은 자꾸 똥을 쌌다. 흙이라곤 한 줌 없는 돌바닥 위에 애들이 대체 왜 이러나. 고양이들은 흙을 찾아 배설하는 걸로 알고 있는데 이건 좀 이상했다.

아내가 인터넷으로 찾아본 바로는 고양이들끼리의 영역 다툼이었다. 여러 고양이가 사료를 나눠 먹다 보니 배설물로 저마다 영역 표시를 하는 거였다. 가뜩이나 고양이들이 들락거리는 터라, 옆집 통장님 눈치가 보였는데 그 집 텃밭에도 똥을 싸는 모양이었다. 아내는 고양이들이 싫어하는 식초를 뿌리면 안 그럴 거라고 했지만 그 후에도 이런 일은 반복되었다. 게다가 가끔 집 밖에서 고양이들 싸우는 소리가 들리곤 했는데, 밤에 한바탕 붙은 날에는 살기 돋은 그 소리 때문에 나가 보기가 무서울 정도였다.

고양이들에 대한 미안함과 아쉬움이 남았지만 나는 밥 주는 걸 그만두자고 아내에게 말했다. 냄새 지독한 고양이 똥을 더 이상 치우기는 싫었다. 바닥에 깔아놓은 쇠석에 있는 똥은 돌까지 같이 버려야 해서 치우기가 더 지랄 맞았다. 하지만 그 후에도 고양이들은 우리 집을 찾았다. 아내는 고양이가 보이면 밥을 챙겨주었는데, 꾸준히 주지 않으면 안 주는 것보다 못하다는 말을 듣고 이마저 그만두게 되었다. 고양이를 좋아하는 아내는 죄책감 때문에 괴로워했다.

나는 고양이보다 강아지가 좋다. 어릴 때부터 집에서 개를 키운 기억 때문일까. 살갑게 반기는 강아지가 좋지, '세상 인생 나 혼자야, 건들지 마. 그런데 밥은 잊지 말고 주라' 이런 고양이들은 너무 싸가지 없는 것 아니냐며 아내에게 불평했다.

내가 태어난 집에는 개가 있었다. 그때 개는 그야말로 개였다. 밖에서 자고, 사람이 먹고 남은 걸 먹었다. 아무리 날이 추워도 '어딜 집 안에 개가 들어와!' 불호령이 떨어졌다. 그때 개는 반려동물이 아니라 정말 개 같은 삶을 살아야 했다. 아버지가 돌아가시고 우리 식구는 용현동 주택으로 이사를 했다. 작은 마당이 있는 양옥집이었다. 이사 갈 집을 혼자 보고 와서 동네에 대한 설명을 하던 엄마의 모습이 기억난다. 골목길 두 번째 집인데 집에는 은행나무도 있다고 해서 나는 속으로 근사한 집을 상상했었다.

이사를 해서도 엄마는 마당에 개를 키웠다. 역시 반려동물이라기보다 남자 없는 집을 지키려는 목적이 컸다. 한 마리만 키운 적도 있고 새끼를 낳으면 여러 마리를 같이 키우기도 했다. 우리 집 개들은 엄마가 기대한 역할보다는 말썽을 일으키는 걸 더 좋아했다. 신발을 물어뜯거나 오토바이를 씹어대다가 엄마한테 빗자루로 얻어터지는 일이 종종 있었다. 개들은 대문 밑구멍으로 기어나가서 다시 집에 돌아오지 않기도 했다. 나는 저녁이면 집 나간 개들을 찾으러 동네를 헤매곤 했다. 그러다 개가 나를 발견하면 더 빨리 도망가고 그 뒤를 쫓았던 기억이 아련하다. 줄줄이 여러 마리를 키웠는데 '덩치'란 녀석 이름만 기억난다. 내가 군대를 가기 전까지 우리는 그 집에서 거의 10년을 살았다.

그때도 개똥 처리는 내 몫이었다. 당시 살던 집 마당은 시멘트였고 한편에 나무를 심은 화단이 있었다. 개들은 주로 연탄 광 근처에 볼일을 봤는데 개똥을 치우는 날은 마당을 대청소하는 날이기도 했다. 마당에는 지하 펌프가 있었다. 그때 단독주택에는 집집마다 그런 펌프가 있었던 것 같다.

그 물을 먹지는 않고 빨간 고무 대야에 물을 받아놓고 허드 렛일에 썼다. 청소는 대야에 받은 물로 시멘트 마당을 씻는 일이었다. 개똥이 쌓여 있는 연탄 광 근처부터 대문이 있는 아래까지 물을 부어가며 빗자루로 마당을 쓸었다. 일주일에 한 번은 청소를 했던 것 같다. '싸악싸악' 바닥을 쓸던 그 소리도 아련하다.

마당 한편에는 은행나무와 복숭아나무가 있었다. 가을이 면 냄새나는 은행이 마당에 후드득 떨어졌다. 이 또한 내 일 거리여서 은행열매를 으깨고 지하수로 씻어냈다. 그렇게 몇 차례를 하고 나면 하얗고 뽀얀 은행 알맹이가 드러난다. 은 행은 펜치로 살짝 흠집을 내고 우유곽에 넣어 전자레인지에 돌려 먹었다. 내게는 별로 맛이 없었지만 엄마는 은행을 좋 아했다. 같은 은행나무인데 열매를 맺지 못하는 앞집에도 엄마는 은행을 돌렸다. 은행나무는 암그루에서만 열매를 맺 는다는 걸 나중에 알았다. 앞 집 나무가 수나무였다.

생각해보니 어려서부터 나는 집안일을 곧잘 했다. 남편 없이 홀로 생계를 책임져야 했던 엄마를 돕는 걸 당연하게 생각했다. 또 아빠가 없었기 때문에 남자인 내가 역할을 해 야 한다고 생각했던 것 같다. 엄마와 나는 집 안 곳곳을 수 리했다. 당시 우리 집은 고쳐야 할 곳이 한두 군데가 아니었다. 겨울에는 집이 추워서 창문마다 비닐을 덧대는 걸 했다. 대형 비닐을 거실 창문에 덧씌우고, 장판으로 긴 띠를 만들어 압정으로 비닐과 함께 창틀에 박아 고정시키는 것이었다. 해마다 겨울이 오면 이 일을 반복했다. 이뿐만이 아니라 도배도 직접 하고 심지어 천장 공사도 엄마와 함께 했다.

천장 공사는 차원이 다른 일이었다. 당시 양옥집들이 그랬듯 우리 집 거실 내부는 벽이며 천장이 모두 나무 마감이었다. 문제는 천장이었는데 기와에 물이 새는지 나무가 하얗게 일어났다. 엄마는 그게 보기 싫어서 도배지로 천장을 덮고자 했다. 하지만 무늬가 있는 나무 천장에 바로 도배지를 바를 수는 없었다. 엄마는 묘수를 냈다. 지금 생각해보면 그런 아이디어가 어디서 나왔는지 모르겠지만 영문도 모른 채 엄마를 도왔다.

엄마는 천장 바로 아래 벽 사방에 못을 박았다. 줄 간격을 맞춰 못을 박고 철사를 못에 묶어 서로 연결했다. 철사로 촘촘히 연결된 천장은 마치 바둑판 모양과 같았다. 그러고는 그 철사가 만든 망 위아래에 도배지를 넣고 서로 맞붙였다. 그러니까 철사를 뼈대로 해서 도배지를 맞붙여 일종의 종이 벽을 만든 것이다. 그런데 그렇게 종이 천장을 만들고 나니 한가운데가 아래로 축 쳐지게 되었다. 이거 어떻게 하냐고 보기 싫다고 걱정하는 나에게 엄마가 했던 말이 기억난다.

"물을 뿌려놓으면 나중에 쫙 펴지니까, 걱정하지 마라." 엄마 말대로 물기가 마르자 도배지로 만든 천장은 팽팽해졌다. 종이 천장은 지저분하던 나무를 가려주었다. 마치 가난의 흔적까지 모두 가려지는 것만 같았다.

그렇게 우리 집은 하나둘 고쳐지고 있었다. 내가 중학교에 진학할 때 연탄보일러가 기름보일러로 바뀌었고 고등학교에 갈 때쯤엔 대문이 새것으로 바뀌었다. 하지만 대학에 갈 때쯤엔 마당에 있는 재래식 화장실을 수세식으로 바꾸겠다는 엄마의 약속은 지켜지지 않았다. 은행 담보로 잡혀 있던 집이 결국 경매로 넘어갔기 때문이었다. 종이 천장은 결국 찢어지기 쉬운 종이일 뿐이었다.

<구해줘! 홈즈>가
말해주지 않는 것

한동안 〈구해줘! 홈즈〉를 챙겨 봤다.

"저 동네 괜찮은데. 저 집은 별로네. 왜 구조를 저렇게 했을까. 저 동네 생각보다 비싸지 않은데. 그 돈이면 집을 사겠다. 왜 전세를 하지? 그 집보다 아까 거길 했어야지~."

마치 우리 집을 찾는 것처럼 아내와 나는 TV를 보며 옥신각신한다.

"그런데 그 전원주택 난방은 뭐로 했대?"
"글쎄. 그건 안 나왔는데."

〈구해줘! 홈즈〉 초기에는 전원주택의 경우 지열, 태양열,

심야전기, 도시가스, 기름보일러, LPG 가스 등등 난방 설비에 대한 이야기가 있었다. 그러다 어느 순간부터는 여기에 대해서는 아예 언급조차 없는 경우가 늘어났다.

아내와 나는 난방에 대해 민감하다. 집을 매입하며 난방 문제로 골머리를 앓았기 때문이다. 우리가 산 주택은 기름 보일러로 난방을 하고 있었다. 동네에 도시가스가 들어온 것도 십 년밖에 되지 않았다고 한다. 아직도 동네 안쪽 골목에는 연탄을 때는 집들도 더러 있었다. 도시가스를 설치해야 하나 태양열을 해야 하나, 난방을 어떻게 해야 할까 고민하다 건축사의 조언대로 도시가스를 설치하기로 했다.

하지만 도시가스를 설치하는 데 드는 비용이 만만치 않았다. 옆집에서 사용하는 도시가스관에 연결해 쓰는 방법이 가장 저렴했는데, 그마저도 800만 원 가까운 돈이 들었다. 도시가스 연결 비용을 개인이 부담해야 하는 것도 생각지 못했는데, 옆집에 허락까지 받아야 하는 것은 더 당황스러웠다. 만약 옆집에서 가스관 연결을 허락하지 않는다면 도시가스 설치가 어렵다는 게 건축사의 설명이었다. 이사하기도 전에 부탁부터 해야 한다니.

"그런데 안 해주면 어떡하죠?"

"그러면 도시가스 공급관에까지 연결해야 하는데, 그 길이에 비례해서 비용도 많이 들고 공사도 커집니다."

"그런데 그 어려운 걸 제가 해야 하나요?"

"보통 건축주께서 하십니다."

'아, 내가 건축주구나.' 코딱지만 한 집이라도 주인이 된다는 건 쉬운 일이 아니었다. 이미 공사비용이 예상보다 훨씬 커졌는데, 돈이 더 들어간다는 건 말도 안 되는 소리다. 읍소를 해서라도 사용 승낙을 받아야 했다.

이미 아내와 나는 리모델링 공사를 시작하기 전에 앞으로 이웃이 될 주위 분들의 집을 찾아가 한차례 인사를 한 적이 있었다. 젊은 사람들이 오래된 동네에 와서 산다며 모두 격려를 해주셨던 기억을 떠올리며 이번에도 선처를 기대했다. '과일이라도 사 들고 가서 인사하면 그래도 들어주시겠지.'

하지만 현실은 냉정했다. 건축사가 내게 받아오라고 내민 '인입배관사용합의서'는 그냥 집주인이 서명만 하면 되는 게 아니라 인감도장을 찍어야 하는 서류였다. 그리고 도장을 증명할 인감증명서를 행정복지센터에 가서 떼야 하기에 번거롭기도 했다. 인감도장은 왠지 집문서만큼이나 무게가 나가는 '물건'이다. 계약서를 쓰거나 대출받을 때나 쓰는 것이지, 고작 도시가스 연결하는 데 그게 필요하다니 내가 생각해도 이건 부담스러운 일이었다.

우여곡절 끝에 옆집 두 곳에서 모두 도시가스 사용 허락을 받았다. 내 집에 도시가스 설치하는 데 옆집 인감도장까지 받아와야 하는 이 '망할 놈의' 제도가 이해가 되지 않았다.

"이러니 누가 구도심으로 이사를 오냐고. 이런 기본 인프라는 행정이 해결을 해줘야지. 구도심 재생한다고 애먼 짓이나 하고 있고, 참 내. 도시가스 설치하려면 돈도 돈이지만 이 따위 빌어먹을 절차를 왜 개인이 다 짊어지고 가야 하냐고. 살기 좋게 해줘도 구도심에 이사를 올까 말까 하는 마당에."

구도심 주택을 고쳐 살며 겪었던 어려움이 뭐냐고 묻는 이들에게 나는 늘 이 이야기를 해주었다. 특히 공무원이나 공무와 연줄이 있는 사람을 만나면 구도심 주택 행정 이렇게 하지 말라는 넋두리를 해댔다. 어렵게 도시가스 사용승낙서를 받았지만 도시가스 공사를 하는 데 또 속 터지는 일이 생겼기 때문이다. 한 번 땅을 판 곳은 특별한 사유가 없으면 2년 후에나 공사할 수 있다는 법이 또 기다리고 있었다.

"그건 또 무슨 소리죠?"

"구청에 진정서를 내면 기한을 좀 앞당길 수 있대요."

이게 진정할 수 있는 일인가. 연말이면 보도블록 파헤치고 쓸데없는 보수공사를 일삼으면서, 겨우 골목길 귀퉁이를 파서 도시가스를 설치하겠다는 건데 이따위 법이 말이나 되는 것인가. 겨우 하루면 끝날 일을. 마음은 당장 구청으로 쳐들어가 청장 멱살을 잡고 싶은데, 내 손은 나도 모르게 공손히 진정서를 작성하고 있었다.

"어차피 동절기에는 땅파기 공사가 안 되니까 진정서 넣고 봄까지 기다리시죠."

"그럼 겨울을 어떻게 나죠?"

"일단 LPG를 연결해서 쓰시는 수밖에 없어요. 아시죠? 가스통."

이미 열을 너무 받아서 난방은 따로 필요 없을 것 같다고 건축사에게 말했지만, 일단 가스통을 연결해서 쓰는 걸로 마무리했다. 문제는 LPG 가스 비용이었다. 당시 LPG 가스 한 통 가격은 4만 원. 우리 집은 두 통을 연결해서 쓰는 걸로 했으니 한 번에 8만 원의 비용이 들었다. 그런데 문제는 보일러를 가스통에 연결하고 3일 만에 고장이 나버리고 만 것이다. 혹시 도시가스 보일러에 LPG를 연결해서 잘못된 걸까.

"여보세요? 보일러가 안 되는데, 고장이 난 것 같아요."

"보일러 창에 메시지가 뭐라고 떠요? 아, 그러면 고장이 아니라 가스가 떨어진 거 같은데요."

"네? 벌써요?"

8만 원짜리 가스통은 사흘을 채 넘기지 못했다. 1층과 2층 난방에 온수까지 가스로 하다 보니 두 통의 가스로는 어림도 없었다. 게다가 가스가 한밤중에도 떨어지는 일이 있어서 우리는 자다가도 동태가 되어 잠에서 깨는 일을 반복했다. 하필이면 그해 겨울은 역대급 추위였다. 연일 계속되는 한파 뉴스는 우리를 더 덜덜 떨게 했다.

이런 일이 잦아서 괴롭다고 하소연을 하니 가스 배달 업체에서 때가 되면 미리 가스통을 갈아주는 것으로 교체 방식을 바꾸었다. 그나마 신경 쓸 일이 하나 줄었으나 예상치 못했던 비용문제는 해결되지 않았다.

"사흘에 8만 원이면 한 달이면 80만 원이네?"

"큰일이다. 이렇게 썼다가는 생활비가 감당이 안 되겠는데."

시골 할머니들이 왜 집에서 '잠바'를 입고 사는지 그때 깨달았다. 가난한 동네일수록 계절에 맞지 않게 옷을 입는 사람들이 많다는 사실도. 아파트에서 살 때처럼 보일러를 틀면 안 된다는 결론이 났다.

아내와 나는 초겨울 패딩을 꺼내 실내복으로 입기 시작했다. 내복은 기본이고 기모 운동복에 터틀넥까지 갖췄다. 집 안에서 입고 있는 그대로 밖에 나가도 전혀 이상하지 않을 패션이었다. 물론 입은 상태 그대로 잠자리에 들기도 했다. 차가운 이불을 덮느니 옷을 입고 자는 게 더 따뜻했다. 보일러는 온도를 낮춰서 잠자기 30분 전에만 켜는 걸로 아내와 합의했다. 아침에 일어나면 보일러부터 끄는 게 일상이 되었다. 보일러 끄는 걸 오후까지 까먹은 날에는 나라 잃은 백성이 따로 없었다.

단열 공사는 제대로 했는지 집 안의 열기가 쉽게 빠지지 않아서 그나마 다행이었다. 남향집이라 해가 잘 들어서 낮에는 보일러 없이도 그런대로 견딜 만했다. 하지만 종일 집에서 일하는 아내는 가뜩이나 추위를 잘 타서 사실은 견딜 만한 게 아니라 버틴다는 게 더 맞는 상황이었다. 이렇게 살아도 가스비는 매달 30만 원이 넘게 나왔다. 그렇게 혹독했던 그해 겨울을 우리는 LPG 가스통으로 버텼다.

다음해 2월 말 구청에 넣은 진정서가 효력을 발휘해 드디어 도시가스 연결 공사가 시작되었다. 땅을 팔 수 있다는 게 이렇게 기쁜 일이던가.

도시가스를 설치한 그날 밤, 나는 오랜만에 반신욕을 했다. 반신욕을 하며 음악을 듣는 소박한 나의 즐거움을 되찾기까지 이렇게 험난한 겨울을 보내야 했다니. '이러려고 내가 건축주가 되었나' 허탈한 생각이 들었다.

그러고 보니 처음 주택 리모델링 상담을 할 때, 반신욕을 좋아한다는 나를 위해 건축사가 했던 말이 떠올랐다.

"남편 분을 위해 2층 발코니에서 별을 보며 반신욕을 할 수 있는 설계도 고려해볼게요."

별은 무슨. 그렇지 않아도 겨우내 별들이 눈앞에서 핑핑 돌았다.

습관이란 무서운 것이다. 도시가스가 집에 들어와도 아파트에서 살 때처럼 빵빵하게 보일러 돌리는 일은 줄었다. 예전 같으면 겨울에도 반팔에 반바지를 입고 있었을 텐데, 여전히 실내에서도 따뜻하게 입고 지낸다. 집들이를 온 친구들이 왜 실내에서 '잠바'를 입고 있냐고 물으면 나는 이렇게 답해주었다.

"이게 바로 구도심 주택살이 라이프스타일이지."

우리 집 옆 골목길.

1. 내복을 입어야 합니다. 국군의 날 꺼내 입고 다음해 삼일절에 만세를 부르며 벗으면 됩니다. 놀라지 마세요. 한글날에 시작해 식목일에 벗는 친구도 있습니다.

2. 대구에 이어 서울에서도 2019년부터 도시가스 인입 설치비가 사업자 100% 부담이 되었다고 하네요. 도시가스 배관은 공급관과 인입배관 그리고 내관으로 나뉩니다. 공급관에서 사유지 경계까지 이르는 인입배관의 경우 그동안 지자체에 따라 설치비를 공급사가 절반을 부담하는 경우가 있었는데, 이제 그 전액을 공급사가 지원토록 한 것입니다.

3. 도로법 시행령 30조에 따르면 '신설 또는 개축되어 포장된 도로의 노면에 대해 신설 또는 개축한 날부터 3년(보도인 경우에는 2년) 내에는 도로굴착을 수반하는 점용허가를 할 수 없다'고 규정되어 있어요. 이를 모르고 공사를 시작했다가는 저희처럼 낭패를 보게 됩니다.

4. 동절기 땅파기 공사 금지 기간은 보통 12월부터 다음해 2월까지입니다. 또한 지자체에 따라 비가 많이 오는 6, 7월에도 굴착공사를 금지할 수 있다고 합니다. 미리 알아보고 팝시다!

구도심 주택살이의 괴로움

　　옥상에 앞집 할머니가 보이지 않기 시작한 지 며칠이 지났다. 매일 아침이면 할머니는 옥상에서 텃밭 돌보는 일을 한다. 할머니네 옥상과 우리 집 2층 발코니가 마주한지라, 아침에 일어나 발코니 커튼을 열어젖히는 게 여간 부담스러운 일이 아니다. 일어나자마자 부스스한 꼴로 다른 이를 마주하기도 싫지만 사실 할머니가 걸치고 있는 '난닝구' 보기가 민망하기도 해서다. 입었다기보다 몸에 걸쳐 있다고 하는 게 더 맞을 러닝셔츠는 중력을 이기지 못하는 노인의 피부처럼 자꾸 흘러내리고 있었다. 매일 이런 꼴로 서로 인사하기도 그렇고 모른 척하기도 그렇다. 그래서 커튼을 열어도 되는지 빼꼼히 할머니의 옥상을 염탐하는 게 내 하루의 시작이다.

할머니와의 첫인상은 좋지 않았다. '도시가스 사건' 때문이다. '인입배관사용합의서'는 기존에 도시가스를 설치한 가정의 가스관에 우리가 사용할 가스관을 연결해도 좋다는 일종의 허락이었다. 우리 집의 경우 옆집 통장님 댁과 앞집 '난닝구 할머니'네가 해당되었다.

기대와 달리 과일 박스와 상냥한 인사만으로 합의는 간단히 이뤄지지 않았다. 뜻하지 않게 남의 집 도시가스관에 우리도 소위 '빨대'를 꽂아 쓰는 형태인지라 이에 상응하는 '가볍지 않은 인사'가 필요했다.

문제는 내가 두 집에 다른 무게의 인사를 했다는 것이었다. 난닝구 할머니도 그전에 이미 통장님 댁 가스관에 빨대를 꽂았기 때문에 우리는 같은 처지, 이를테면 '빨대 동지'라 생각했는데 그것은 나만의 착각이었다. 모든 일에는 앞뒤가 있고 서열이 있는 법이다.

도시가스 공사가 끝난 날, 난닝구 할머니는 골목길에서 아내에게 큰 소리를 내고 있었다. 마침 내가 퇴근하고 들어오는 길이라 사색이 된 아내가 뒤로 고꾸라지는 걸 겨우 막을 수 있었다. 할머니 왈, 당신이 찍어준 도장이 그런 건 줄 몰랐고 이 집에 '깨스'를 주어 당신 집에 가스가 덜 나오면 어떡하냐는 말이었다. 가뜩이나 큰 목소리에 골목길이 쩌렁

쩌렁 울리고 사람들이 한둘 모여들고 있었다.

"아니, 그때 설명을 다 드렸는데……. 그렇다고 가스가 안 나오는 게 아니고요, 할머니……."
"혼자 사는 늙은이라고 무시하는 거여. 여기 우리 '사우'도 데리고 왔어. 말해봐."

'혼자 사는 늙은이라고 무시하냐'는 말까지 나오자 숨이 턱 막혔다. 사색이 된 아내의 표정을 보니 숨이 넘어가기 일보 직전이었다. 장모님 편을 들어주려고 급히 파견된 할머니네 '사우' 분도 거들긴 해야겠는데, 뭘 어떡해야 할지 몰라 어리둥절할 때 옆집 통장님이 구원투수처럼 등장하셨다. 이 분으로 설명하자면 할머니네도 우리 집도 빨대를 꽂은 가스의 원조집이었다. 원조답게 어르신은 한마디로 상황을 정리했다.

"가스는 물이 아니다. 그러니 할머니 걱정 안 하셔도 된다. 이웃끼리 순리대로 살아야 한다."

치킨 집을 운영하는 가스 원조집 어른이 간단하고 명쾌하게 상황을 정리했다. 시시한 싸움이 되어버렸다고 느꼈는지 모여든 동네 사람들도 모두 흩어졌다. 우리는 가스 원조집 어른의 상황 정리가 너무 고마워 그 후로 통장님네 치킨 마니아가 되었다. 엄연히 프랜차이즈 점포였지만 치킨 맛 또한 왠지 원조처럼 느껴졌다.

상황은 정리되었지만 할머니의 분은 풀리지 않았다. 그날 밤 나는 떡을 사들고 할머니를 다시 찾았다. 뭐가 어떻게 됐든 이렇게 얼굴 붉히며 살 수는 없는 노릇이었다. 할머니께서도 미안했는지 먼저 사과를 하셨다. 하지만 그 이후로 할머니를 보는 게 사실 편치는 않았다. 할머니도 어딘가 어색한 눈치였다.

구도심 주택살이의 즐거움

어느 날 출근을 하러 나서는데 마당에 검은 비닐봉지가 있었다. 누가 또 남의 집에 쓰레기를 버렸나, 순간 화가 치밀었다. 간혹 쓰레기를 담은 검은 봉투를 남의 집에 버리는 사람들이 동네에 있기 때문이다. 비닐봉지를 들어 이리저리 살피는데 '난닝구 할머니'가 옥상에서 나를 부른다. 오늘 입은 옷은 '난닝구'가 아니었다.

"상추니께 씻어 먹어요. 내가 매일 물을 많이 줘서 부드러워. 좀 아까 딴 거니께 괜찮을거여."

할머니가 옥상에서 우리 집 마당으로 상추를 투하한 것이다. 퉁명스러운 말투처럼 툭. 할머니의 상추 낙하는 그날 이후로도 우리 집 마당과 2층 발코니로 간혹 이어졌다. 할머니의 하사품을 우리가 미처 발견하지 못한 날도 있었는데, 그럴 때면 저녁에 우리 집 초인종을 누르고 직접 투하 위치를 알려주셨다.

"인사해줘서 고마워요. 그전에 살던 사람들은 10년을 살았어도 생전 인사한 적이 없어."

"네? 아, 그랬어요?"

"젊은 사람들이 인사해줘서 고마워."

나나 아내나 이미 젊은 사람들은 아닌데. 이래저래 당황한 내가 뭐라 말할 틈도 없이 할머니는 돌아섰다. 난닝구 할머니는 '츤데레' 할머니였다. '혼자 사는 늙은이라고 무시하냐'던 말은 괜한 것이 아니었다. 누구나 혼자면 외롭고 슬프다. 나이 먹은 어른이라고 다를 바 없지 않은가. 도시가스 연결을 위해 필요했던 '가볍지 않은 인사'보다 빈손이라도 '사람의 인사'가 더 그립고 소중했던 것일까. '도시가스 사건' 이후 어딘가 서먹서먹하던 분위기는 그날 이후로 일단락되었다.

그러던 할머니가 옥상에 보이지 않은 지 열흘이 넘었다. 처음에는 그러려니 했는데 날짜가 지날수록 걱정이 되기 시작했다. 발코니 커튼을 열며 할머니를 마주할까 봐 조마조마했던 마음은 이제 할머니가 없을까 걱정으로 바뀌어 있었다. 상추랑 고추들은 누가 물을 주고 있는 건지. 땡볕에 다 탈 텐데. 주인 없는 옥상 텃밭은 참새들의 쉼터가 되어버렸다. 눈치도 없이 온 동네 참새들이 아침마다 반상회라도 하는지 모두 텃밭에 다닥다닥 붙어 수다를 떨고 있었다.

"2층 할머니 어디 가셨어요? 요즘 안 보이시네요."
"어머 웬일이야. 할머니 허리 수술했어요. 사고는 아니고…… 어머 웬일이야. 걱정했구나?"

출근길에 옆집을 들렀다. 할머니네 집 1층에서 분식집을 하는 이모님은 할머니의 상황을 잘 알고 계셨다.

"내가 들어보니까 내일쯤 퇴원한다고 했어요. 할머니 퇴원하면 들렀다고 얘기할게. 어머 웬일이야."

별일도 아닌 걸 웬일로 만드는 건 이모님의 놀라운 장점이다. 이모님은 보통사람의 목소리보다 최소 세 배 이상의 성량과 음역대를 가지셨다. TV 예능프로에 나오는 패널처럼 이모님은 언제나 하이톤에 과한 리액션을 하신다. 방송국

방청객 아르바이트를 하셔도 열 명 이상의 몫을 하고도 남을 분이다. 이모님은 할머니 이야기를 하시다가 갑자기 할 말이 생각났다는 듯 손뼉을 치면서 이야기를 이어가셨다.

"그런데 나 정말 감동했잖아. 코로나 때문에 우리가 석 달을 쉬었잖아. 그런데 석 달 만에 딱 와보니까 할머니가 임대료를 안 받겠대 글쎄. 웬일이야, 석 달 치 전부 다. 평소에는 수도요금 10원에도 그렇게 난리를 치는 분인데 글쎄. 나 완전 감동했잖아. 그래서 한우 고기 사다 드리고 과일 사다 드리고 그랬잖아. 이건 뉴스야 뉴스. 웬일이야 정말."

이모님과 이야기를 하다 보면 저절로 웃음이 나온다. 이모님은 사람을 기분 좋게 하는 마력이 있는 분이다. 분식집 주요 고객인 초등학교 아이들과 이야기하는 걸 보면, 정말 아이들을 좋아하는 분이라는 게 느껴질 때가 많다. 우리가 젊은이가 아니듯 이모님도 실제 이모뻘은 아니지만 아이들은 '이모, 이모' 하며 이모님을 따랐다. 구도심에 살면 최소 10년은 젊게 살 수 있는 뜻밖의 장점이 있다. 가게에는 아이들이 선물한 걸로 보이는 미술 작품들이 전시되어 있었다.

아침마다 옥상에 불출하는 할머니의 사정을 알게 되어 마음이 홀가분해졌다. 요즘 허리 수술은 그리 큰일도 아니니 그나마 다행이라면 다행이다.

　주차장으로 걸어가다가 불쑥 잊었던 장면이 떠올랐다. 늘 아침저녁으로 주차장 근처 의자에 혼자 앉아계시던 동네 또 다른 할머니의 모습이었다. 우두커니 의자에 앉아 있던 이 할머니의 모습을 못 본 지 꽤 오래되었다. 오랜만에 자리를 돌아보니 사람은 없고 의자만 남아 있다.

　"몸은 좀 괜찮으세요? 수술하셨다고 들었어요."
　"아이 괜찮아요. 누가 또 그런 얘기를 했나 보네. 동네 소문만 나고…… 남사스러워서."

　다음 날 옥상에 할머니가 계셨다. 텃밭에 물을 주고 있는 할머니가 반가워 발코니 문을 열고 인사를 드렸다. 할머니는 허리에 복대를 차고 계셨다. '난닝구'는 입지 않았다. 내 말이 쑥스러우셨는지, 할머니는 뒷걸음을 치며 우리 집 발코니 시야에서 사라지셨다. 나는 반가운 마음에 뭐라도 이야기를 더 하고 싶었으나 '츤데레' 할머니는 무심하게 모습을 감추셨다.

　나 홀로 2층 발코니에 멀뚱하게 서 있게 되었다. 할머니네 옥상과 우리 집 2층 발코니 사이 골목이 보인다. 한두 사람이 겨우 지날 수 있는 좁은 골목길. 아파트 옆집보다는 멀고 옆 동보다는 훨씬 가까운 이 애매한 거리. 사생활 침해가 아니라 어쩔 수 없이 이웃의 사생활을 들여다볼 수밖에 없는 거리. 골목길 집들의 풍경을 바라보며, '이제야 이 애매한 거리감에 우리도 적응해가며 살고 있구나' 하는 생각이 들었다. 사생활 침해가 사생활 걱정이 되면 그게 이웃이겠구나.

모든 게 다 있는 신도시에 없는 단 한 가지가 있다면 그것은 아마도 골목길일 것이다. 그리고 골목을 사이에 두고 서로의 일상을 들키고 사는 사람들. 좋건 싫건 서로가 서로의 일상이 되었던 지난날들. 그리고 그 골목이 키운 아이들. '그래, 나를 키운 건 골목이었구나. 우리는 골목길 출신들이었지.'

"혹시 야구공이 집으로 넘어오지는 않나
요?"

"저희가 10년 살면서 딱 한 번 야구공이 넘어오긴 했어
요. 걱정 안 해도 돼요."

우리가 매입한 집 주인은 솔직한 분이었다. 집이 여름에
는 덥고 겨울에는 춥다고, 집을 팔아야 하는 쪽에서 굳이 하
지 않아도 될 말을 해주셨다. 여름 되면 옥상에 그늘막이라
도 치라며. 그 조언 덕분에 우리는 리모델링을 하며 단열에
신경을 더 많이 썼다. 한때 본인이 부동산을 해봐서 안다고,
나머지는 문제없다고 했다. 대체로 전 집주인의 말은 맞았
지만 야구공 이야기는 거짓이었다. 리모델링 공사차 옥상에
올라가 보니 그 자리에 꽤 오랫동안 있던 걸로 보이는 야구

공이 몇 개나 보였다.

집 앞에는 초등학교가 있다. 나를 사로잡은 오래된 빨간 벽돌 건물. 개교 120년이 다 되어가는 이 학교는 한때 학생 수가 6천 명을 넘었다. 그만큼 졸업생들 가운데 유명 인사들도 많다. 하지만 사람들이 신도시를 향해 떠나고 구도심의 학교는 이제 전교생 2백 명의 작은 학교가 되었다. 더 이상 자랑할 게 남아 있을 것 같지 않은 학교의 자랑이 하나 더 있으니, 바로 류현진 선수다. 메이저리그에서 활약하고 있는 류현진은 이 학교 야구부를 졸업했다. 구도심의 꼬마는 커서 류현진이 되었고 이제껏 학교를 졸업한 어느 누구보다 유명 인사가 되었다. 미국으로 진출한 뒤에도 류현진이 가끔 모교를 찾아왔다는 말을 옆집 주먹밥 이모님께 들었다.

"이모님 '류현진 주먹밥'을 만들어 파시는 건 어때요? 야구공 모양에 참깨를 실밥처럼 박아 넣으면?"

"어머어머 웬일이야. 하하하하. 역시 젊으니까 생각이 달라."

미래의 류현진이 될 어린 학생들은 밤낮없이 그리고 주말에도 운동장에서 연습을 한다. 고요하던 동네는 쩌렁쩌렁한 학생들 소리로 활기차다. 하지만 야구부 학생들이 열심히 운동을 할수록 나의 불안도 커져갔다. '언젠가 야구공이 날아와 우리 집 유리창을 박살내지는 않을까. 하필 우리는 왜 비싼 프로젝트 창을 이쪽 방향으로 냈을까.'

　초등학교 시절 학교에 가고 싶지 않은 적이 두 번 있었다. 한 번은 4학년 때 아버지가 돌아가시고 나서였고, 또 한 번은 그보다 저학년 때였다. 토요일인가 운동장에서 아이들과 축구를 하는데 내가 찬 공이 허공을 가르더니 하필 교실 프로젝트 창을 박살내고 말았다. 주말 근무를 하던 선생님은 단번에 운동장으로 뛰쳐나왔고 아이들은 나를 범인으로 지목했다. 선생님의 판결은 단순했다. 다음 주에 어머님을 모시고 오라는 거였다.

　내겐 최악의 판결이었다. 당시 엄마는 낮에는 일로, 저녁에는 누워계신 아버지 병시중으로 숨 가쁜 생활을 하고 계셨다. 당연히 엄마가 학교에 올 시간은 없어 보였고 가난한 우리 집 형편에 유리창을 변상할 돈도 있을 리 없다고 생각했다. 다음 주 나는 학교를 결석하는 걸로 판결을 거부했다. 내가 학교를 가지 않아도 집에서는 알지 못했다.

그리고 얼마 있다가 학교에 갔는지 기억나지 않지만 그후로 한동안 학교를 가는 게 힘들었다. 학교에 가서도 운동장에서는 놀지 않았다. 최악의 판결을 한 선생님은 다행히 나를 찾지 않았지만, 나는 유리창이 박살난 교실 쪽으로는 발길을 끊었다. 한동안 그렇게 쫓기는 범인처럼 학교를 다녔다. 지금 생각해보면 차라리 엄마한테 이야기하고 변상했다면 더 좋았을 법한 이야기이다. 그 일 때문이었는지 나는 내성적이고 겁 많은 소년으로 성장했다. 가난하다고 그럴 필요는 없었는데 말이다.

이런 기억 때문에 나는 우리 집 유리창이 야구공에 박살나지 않을까 걱정이 두 배다. 혹시 우리 집 유리창을 박살낸 아이가 나 같은 마음의 상처를 받지 않을까. '괜찮아, 걱정하지 말고 더 힘차게 휘둘러라.' 이렇게 돌려보내고 싶다가도 한편으로는 그렇다고 이 비싼 유리창을 내가 고치고 살아야 하나. 고민은 이중, 삼중창으로 머리를 맴돌았다.

그러던 어느 날 퇴근하고 집에 돌아왔는데 마당 한편에 야구공이 하나 놓여 있었다. 오지 말아야 할 불청객이 온 것이다.

"여보, 마당에 야구공이 넘어왔던데?"

"어머, 그래? 몰랐는데. 자기가 가서 얘기 좀 해봐. 이러다 유리창 박살나겠어."

"으응? 내가? 지금 운동장에 아무도 없는데."

"무슨 소리야, 소리가 다 들리는데."

"다음에……."

그런데 얼마 지나지 않은 토요일 야구공이 또 넘어왔다. 이번엔 아내와 함께 집에 있다가 그 소리를 들었다. 동네 대외협력 업무는 내 소관이었기에 더 뭉그적거릴 수가 없었다. 야구공을 집어 들고 학교 운동장으로 향했다.

교문으로 걸어가는데 한 아이가 공을 찾아 헐레벌떡 뛰어내려왔다. 야구복을 입은 통통한 아이를 보자 어린 시절 내가 떠올랐다. 아이는 난감한 표정을 지으며 내 손에 있는 야구공을 쳐다봤다.

"이 공 찾으러 왔니?"

"네."

"몇 번 타자야?"

"3번인데요."

"홈런이었어?"

"아니요."

나는 미래의 류현진이 될 수도 있는 아이에게 공을 건네
주었다. '다음엔 홈런 쳐라'라는 말이 목구멍까지 올라왔다
가 도로 들어갔다. 발길을 돌려 집으로 들어오려다 그냥 이
대로 가면 아내의 불호령이 떨어질 것 같아서 다시 학교 운
동장으로 갔다.

야구부 감독도 아이들에게 호통을 치고 있었다. 나는 감
독께 이차저차하니 주의해달라고 부탁드렸다. 감독께서는
주택 방향으로 그물을 쳐야 하는데, 여차저차한 문제들이
있다고 했다. 그러면 이렇게 저렇게 하면 어떻겠냐고 이야
기를 나눴다.

발길을 돌리려다 벤치에 앉아 야구부 아이들의 연습경기
를 관람했다. 아이들은 귀엽기도 하고 진지한 선수 같기도
했다.

"여보세요?"

"왜 안 와?"

"야구 보고 있어."

"얘기했어?"

"응."

"뭐래?"

"홈런 치기 쉽지 않대."

"뭐?"

교문을 내려오는데 현수막에 이런 글이 쓰여 있다.

'류현진 선수를 배출한 전통의 야구 명문. 입단 시 유니폼 증정. 가입대상 1-6학년.'

'나도 어느덧 4학년인데……. 내가 가입해볼까.'

단독주택살이 봉봉's 팁

1. 자신의 나이를 몇 학년 몇 반으로 부르는 어르신들이 예전엔 좀 이상했는데, 이제 제가 그러고 사네요.

2. 학교 앞에 살면 장점도 있습니다. 차는 느리게 달려야 하고, 도로에 주정차도 안 되죠. 그리고 무엇보다 학교가 있어서 집 앞을 막고 높은 건물이 들어설 가능성도 적습니다.

할머니들의
마컷컬리

　　　　　"아이참, 괜히 좋아했네. 우리 동네는 안
된다네."

　"뭐가?"

　"샛별 배송이라고 새벽 배송해주는 건데, 우리 동네는 안
되네, 참."

　구도심 주택으로 이사하고 대체로 만족하며 살고 있다.
주차문제, 방범문제가 해결되니 이제 걱정할 일도 별로 없
다. 요즘 같은 코로나 시대에는 공동주택에 살지 않아서 오
히려 다행이란 생각이 든다.

　그런데 한 가지 불편한 게 있으니 바로 택배 배송이다. 주
택에 살면 택배를 받아줄 데가 마땅치 않다. 물건 받을 사람
이 없는 경우 택배기사 분도 골칫거리다. 그래서 대문에 택

배 받는 구멍을 만든 집마저 있다고 한다. 이웃과 관계가 좋은 집은 옆집에 부탁하는 경우도 있다. 우리 집은 담이 없다시피 해서 기사 분이 알아서 대문을 열고 들어와 현관 앞에 택배를 두고 가신다. 그런데 우리가 사는 동네는 새벽 배송이 안 되는 지역이라는 아내의 불평이다.

"사람들이 많이 안 살아서 그런가?"

"글쎄. 여기가 시골도 아니고 그래도 도심인데 너무하네."

"그러면 차라리 채소 아저씨한테 사는 건 어때? 그 아저씨도 마켓컬리 해."

구도심엔 골목길 마켓컬리가 있다. 트럭을 몰고 채소와 과일을 파는 채소 아저씨. 내가 주문하지 않아도 매일 하루에 두 번 동네를 찾는다. 이른 아침에는 순두부 아저씨가 한번 지나가고, 오전과 오후 시간차를 두고 채소 아저씨가 다녀간다. 그 사이 전기제품 수거하는 분이 또 한 번 확성기를 켜고 지난다. 가끔 생선 파는 트럭도 오지만 하루도 빠짐없이 성실한 것은 채소 아저씨이다.

"다마네기 왔어유. 무, 배추, 느타리버섯 왔어유. 사과, 배가 한 상자에 만 원. 싱싱한 알타리 무 왔어유."

작년에 나는 취재를 하며 채소 아저씨의 트럭을 탄 일이
있다. 구도심 골목길 사람들의 일상을 취재하는 라디오 음
향 시리즈였는데, 누구보다 골목길을 잘 아는 분이 이 채소
아저씨라는 생각이 들어서였다. 인천 숭의동 '전도관'부터
시작해서 제물포, 송림동, 금곡동, 창영동, 도화동 골목을
아저씨는 40년 동안 하루도 빠지지 않고 다녔다고 한다. 그
의 트럭을 얻어 타고 구도심 골목길을 돌았다.

"저기 할머니들 보이지? 나 오기만 저렇게 기다린다니께.
참 내."

채소 아저씨는 그의 오랜 단골들을 만나면 밑도 끝도 없
는 농담을 건넨다. 하긴 40년을 다녔다고 하니 그의 고객들
은 거의 친구와 다름없다.

"할매, 고구마 사 가."
"아이 돈 없어. 먹을 사람도 없고."
"24개월 할부해줄게. 그냥 가져가."
"일없어."
"할매 남자친구 없지? 그러니까 없는 겨. 내가 남자친구
소개해줘?"

"그래, 어디 데리고 와봐라."

"그럼 나 용돈 좀 줘봐."

"그 돈 있으면 내가 고구마를 사지."

밑도 끝도 없는 대화가 계속되었다. 할머니들은 뭘 사려고 나온 건지, 아저씨 얼굴을 보러 나온 건지 분간이 되지 않았다. 아저씨도 뭘 팔러 온 건지 놀러 온 건지 알 수 없었다. 한참 그들의 대화를 듣고 있자니 마치 같은 반 친구들끼리 쓸데없는 농담 따먹기를 하는 것 같았다. 그래도 덕분에 조용하던 골목길에 잠시 활력이 돈다.

"느타리버섯 있다고 그러더니 어딨어? 없네?"

"아까 저 집에서 다 사갔슈."

"그게 뭐야. 스피커에 거짓말이나 하고. 왜 그래?"

"이따 갖다 줄게요. 나 참, 필요하면 전화를 하지 그랬어."

"오이도 갖다 줘. 부추도 있으면 가져오고."

채소 아저씨는 이미 40년 전부터 집 앞 배송, 마켓컬리 서비스를 하고 있었다. 주문을 하지 않아도 후미진 골목길까지 잊지 않고 찾아간다. 미리 전화를 하면 집 앞에 배달도

해준다. 배달시킨 사람이 안 나타나면, 이웃집에 맡기든 대문에 끼워 넣든 어떻게든 주고 간다. 심지어 외상이 일상인 서비스이다. 나중에 물어보니 알아서 다 준다고, 왜 자네가 쓸데없는 걱정을 하냐고 한다. 당연히 무료 배송. 당일 주문 당일 배송이다. 로켓 배송은 이미 여기 있었다.

이쯤 되면 채소 아저씨의 트럭은 거의 공공 서비스이다. 거동이 불편한 노인들을 찾아가고, 마땅한 가게가 없는 골목 끝까지 배달해준다. 물건만 파는 것만이 아니라 외로운 노인들의 말벗도 되어준다. 게다가 누구도 생각하지 않았던 할머니들의 이성 교제까지 신경을 쓴다. 이 정도면 거의 채소 아저씨가 아니라 사회복지사와 다름없다. 이익을 추구하던 그의 경제 활동은 어느덧 공익의 영역에 들어섰다.

하지만 '동네 떠나가라' 할 정도로 큰 소리를 내던 아저씨의 트럭도 빈집이 많은 곳을 지날 때는 소리를 낮춘다. 사람들이 떠난 구도심 골목길. 우렁차던 아저씨의 화성기 볼륨은 날이 갈수록 점점 작아져왔다. 골목길도 소리도 같은 운명이다. 이쯤 되면 남는 장사가 아닐 것 같은데, 환갑을 넘긴 아저씨는 이 일을 놓지 않았다.

"저기 전도관에서도 엄청 많이 팔았어. 재개발하기 전에는. 송림동 사람들 전도관서 우리 집을 다 거쳐가거든. 옛날에는 밤 12시까지 장사를 했지. 5톤 차로 물건 들여오고 그랬거든. 내가 골목길에 나타나면 사람들이 두 줄을 서서 샀다니게. 이제 그만둘 수도 없고, 하던 거는 해야지. 놀 수도 없고."

하루 종일 채소 아저씨를 따라다니다 보니, 그가 이 일을 그만둘 수 없는 이유를 알 것 같다. 그를 기다리는 사람들이 있기 때문이다. 그의 목소리가 들리면 엉금엉금 골목으로 나오는 할머니들. 무언가 살 게 필요하다기 보다 그 소리가 반가운 이들. 골목에서 함께 나이를 먹은 사람들. 그는 골목길 할머니들의 성실한 심부름꾼이자 남자친구요, 마켓컬리의 원조 사나이였다.

"할매, 내일 또 만나요!"

1. 로컬! 로컬리티! 로컬 푸드, 로컬 경제 이런 말들이 많던데, 트럭 아저씨들 네트워크를 만들어 로컬 창업을 하던가 해야지, 이거 원!

2. 우리나라 서비스 시스템은 신도시 아파트 위주라는 생각이 들어요. 수지타산이 맞지 않기 때문인지 구도심 소비자에 대한 서비스는 매우 열악하단 생각입니다. 도시재생의 방향은 이런 수익성 문제로 민간이 하지 않는 부분을 공공의 영역으로 이끌어내는 것이라 생각해요.

3. 인천의 일부 구도심에는 일종의 아파트 관리사무소 역할을 하는 '마을주택관리소'가 있습니다. 기초생활수급자, 저소득층, 노인 가구, 장애인 등 주거약자에게 도배 및 장판, 싱크대, 창호, 난방 및 보일러, 방수 등 주택수리 및 공구사용교육 등 집수리 서비스를 제공하는 역할을 한다고 하네요. 이런 공공 서비스를 더 확대하고 사람들이 알도록 알려야 합니다!

4. 경기도에도 '행복마을 관리소'라는 유사한 도시재생 사업이 있다고 합니다. 구도심 지역 빈집이나 공공시설, 유휴 공간 등에 이를 만들어 여성안심귀가, 홀몸노인 교통지원, 택배 보관, 공구대여 같은 생활밀착형 공공서비스를 제공한다고 해요.

골목길
기술자들

동네 골목을 정처 없이 걷다 보면 나도 모르게 나무가 있거나 화분이 있는 곳에 발길이 닿는다. 골목에 정취를 더하는 것은 이런 식물들이다.

그런데 그중에 고추나무가 있다면 십중팔구 골목에 할머니들이 산다는 증거다. 고추는 할머니들의 상징. 할머니들처럼 고숙련 기술자가 아니라면 화분에 고추를 심고 말리는 작업을 해낼 능력자들은 없다.

늦여름 골목을 걷다 고추 말리는 모습을 마주치곤 한다. 긴 장마와 태풍 때문인지 지난해보다는 고추 말리는 모습이 좀 줄긴 했지만, 해가 나면 고추를 너는 할머니들 모습은 여전하다. 골목에, 문턱에, 지붕에, 소쿠리에. 고추는 어디에도 널려 있다.

고도의 기술을 연마한 후에나 나올 법한 온갖 말리기 신공들이 보인다. 이것은 햇볕을 향한 짝사랑이요 땅과의 혈투다. 할머니들은 해가 잘 드는 곳을 찾아 한 치도 버림 없이 고추를 말린다. 그 악착같음이 똘똘 말은 할머니들의 파마머리를 닮았다. 덕분에 어떤 길은 지뢰밭이다. 사람 지나갈 곳만 만들어놓고 죄다 고추를 살포했다. 그 기하학적인 모습에 감탄하며 길을 걷는다. 땅이 모자라면 아파트처럼 허공에 고추를 세운다. 한 땀 한 땀 장인의 손길로 고추를 실로 꿰어 허공에 매달았다. 이쯤 되면 기술이 아니라 예술이라 해야 옳다.

비가 오면 집 안에서 고추를 말린다. 겨울에도 잘 틀지 않던 보일러를 한여름 고추를 위해 아낌없이 투자한다. 이쯤 되면 궁금하지 않을 수 없다. 도대체 고추가 뭐길래?

그러고 보니 옛 기억이 난다. 한여름 소나기에 후다닥 고추를 거둬들이던 엄마. 우유배달 일을 하던 엄마는 소나기가 오면 일하다가도 달려와 골목에 넌 고추를 거둬들였다. 거둔 고추는 일일이 물기를 닦아 집 안에 발 디딜 틈 없이 널었다. 방바닥에도 선반 위에도 심지어 의자 위에도 고추가 앉았다. 사람이 먼저가 아니라 고추가 먼저다. 시뻘건 고추 지뢰밭 사이에 겨우 발 디딜 곳을 만들었다. 조준을 잘못해 고추를 밟았다가 등짝을 얻어맞기도 했다. 고추 냄새 때문인지 아파서였는지 모르겠지만 눈물이 흘렀다. 그러면서도 엄마가 시키는 대로 고추를 반으로 갈랐다. 빨리 말리기 위한 특단의 조치다. 씨는 버리지 않고 따로 모았다. 하염없이 눈물이 흘렀다.

"엄마는 나보다 고추가 좋아?"

그때는 왜 나보다 고추를 그렇게 대접하나 했다. 고춧가루가 비싸기 때문이고, 이왕이면 집에서 잘 말린 깨끗한 고추로 빻기 위해서였다. 별일도 아닌데 철이 들어야 아는 것들이 있다. 지금 엄마와 같이 산다면 아마 우리 집도 고추밭이 되었을 것이다. 화분은 아마 고추나무가 대부분 차지할 것이고 옥상은 모두 배가 갈린 고추들의 무덤이 되었을 것이다. 노을 지는 옥상에 올라 엄마는 그 빨간 고추 시체들의 행렬을 바라보며 흐뭇해 할 게 뻔하다.

"옥상을 왜 놀리남?"

고추를 널고 햇볕을 쬐는 할머니들을 바라본다. 할머니들은 고양이를 닮았다. 고요함과 침착함의 상징. 햇볕을 좋아

166

하는 다정한 이들. 한 치의 땅도 허비하지 않는 지상 최고의 기술자들. 악착같이 살아온 세월. 그 악착같음으로 누군가에겐 그늘을 드리워주던 이들. 골목길 바닥에 나란히 쭈그리고 앉은 할머니들 사이로 해가 저문다. 끝나지 않을 것 같은 여름도 저문다.

단독주택살이 봉봉's 팁

고추는 추위에 약해 겨울을 나지 못하더군요. 작년에 심은 고추나무가 올해도 또 자라는 줄 알고 화분에 계속 물을 주었지만 이미 죽은 뒤였어요.

2층 발코니 너머로 앞집 할머니 옥상이 보입니다.

© 변종석

취향의 발견

자신의 취향을 알아간다는 것, 내겐 나이 들어 좋은 건 그것 하나뿐이다. 한 해 두 해 나이를 먹을수록 좋아하는 것과 그렇지 않은 것을 구분하기가 한결 수월해짐을 느낀다. 예전엔 남을 따라 좋아하는 걸 내가 좋아한다고 착각한 적도 있었고 성역할이나 사회적 관습 때문에 내가 좋아하는 것을 부정한 경우도 더러 있었다. 나이가 드니 이런 착오들이 하나씩 정리되면서 삶이 간결해져 좋다.

하지만 한편으로는 '어지러웠지만 리듬감 있던 젊은 시절은 이제 끝나는 건가' 하는 서운한 마음도 든다. 삶의 군더더기가 사라지면서 그에 따라 감정의 맥박도 가라앉으니 마냥 좋다고만은 또 할 수 없는 노릇이다.

이런 뒤늦은 취향 발견이 그리 좋은 것만은 아닐 수도 있겠다. 소위 '꼰대'의 시작일 수도 있겠다는 생각이 든다. 내가 좋아하는 걸 이제 명확히 알았고 그러니 이제부터 그게 옳다고 생각하는 것. 그런 착각이 꼰대의 사고방식이라면 말이다. 내가 아는 꼰대들은 자신이 좋아하는 것과 옳은 것을 혼동한다. 확고해진 자신의 취향을 가치판단의 영역까지 확장시키는 오류를 범하는 것이다. 누구나 이 오류에 빠지기 쉽다. 물론 나도 피할 수 없다. 그렇다면 뒤늦은 취향의 발견 역시, 나이 들어 좋은 일만은 아닌 듯하다.

아무튼 내가 좋아하는 것들이 분명해지면서 뒤늦게 발견한 나의 취향이 있으니, 바로 식물 키우기이다. 언제부터 식물이 좋아졌나 모르겠으나 어쩌다 보니 집 안에 화분이 하나둘 늘어나고 있다.

미세먼지 때문에 들여놓은 테이블야자, 수염틸란드시아, 디시디아, 스파티필름으로 시작해 물만 줘도 잘 자라는 인도고무나무, 벵갈고무나무 등이 집 안에 한 자리씩 차지하고 있다. 그리고 집들이 때 지인들이 선물해준 스투키와 금전수 그리고 오래된 안시리움과 해피트리도 같이 자란다.

여기에 카페에서 보고 반해버린 알로카시아와 유칼립투스 나무, 크로톤, 셀럼도 사들였다. 가격이 비싼 드라코와 올리브 나무는 이제나 저제나 주머니 사정을 보고 있다. 바질, 민트, 로즈메리, 라벤더, 구문초 같은 허브 식물들도 집

밖에 심어봤다. 단독주택에 사니 밖에서도 식물을 키울 수 있어 좋다. 단독주택에 사는 즐거움 중 하나다. 2층 발코니와 계단에 화분을 놓으니 집에 한결 생기도 돌고 식물들도 좋아하는 것 같다.

　나도 모르게 자꾸 식물을 들이는 이유는 아내와 근처 시장에 갈 때마다 화분이 눈에 밟히기 때문이다. 나의 화분 단골집은 시장에 있다. 특이하게도 이 집은 겨울에는 생선을 팔고 봄부터 가을까지는 화분을 판다. 세상에 둘도 없는 일종의 편집숍이다. 이 집에서 화분을 팔기 시작하면 봄이 온 것이고 생선이 등장하면 겨울에 진입한 것이다.

　생선을 팔다가 화분을 팔게 된 건지 그 반대인지는 알 수 없다. 아마도 겨울에는 식물을 팔기 어려우니 생선을 팔기 시작한 게 아닐까 싶다. 어느 날 아주머니께 여쮜보니 식물을 파는 게 더 좋다고 수줍게 이야기하신다. 나도 화분을 파실 때의 아주머니가 더 좋다. 아주머니의 수줍은 미소는 동태보다는 화분과 어울린다. 아무튼 시장에 갈 때마다 꼭 이 집을 들러 '오늘은 뭐 데려갈 애들이 없나'를 살피는 것이 나의 구도심 쇼핑, 라이프스타일이다.

　하지만 식물을 좋아한다고 잘 키우는 것은 또 아니다. 한

때는 나도 '식물 살인마'였다. 좋아했던 알로카시아를 죽였고 매주 하나씩 스투키 몸통을 칼로 난도질했다. 왜 그런지 스투키는 차례로 하나씩 썩어 들어갔다. 그뿐만이 아니라 아까운 동백나무를 비롯해 여러 식물들을 영문도 모른 채 떠나보내야 했다. 어느 날은 하도 답답해 식물을 잘 키우시는 엄마께 비법을 물었다.

"엄마는 어떻게 식물을 그렇게 잘 키워?"
"그냥 때맞춰 물만 잘 주면 되지."
"그거밖에 안 해요? 영양제 같은 것도 안 주고?"
"아침마다 반갑다고 이야기해."

맙소사. 그렇다. 이 장면은 어디선가 본 것 같다. 자신이 정말 좋아하면 그 대상이 무엇이든 상관없이 이야기를 건네는 이들이 있다. 동물이든 식물이든 사물이든. 이게 정말 신통한 비법인 것인가. 정녕 세상의 모든 문제는 의사소통의 단절인가.

그렇다고 나도 아침마다 식물과 이야기하기에는 서로 어색할 듯하여, 어떤 환경을 식물이 좋아하는지 인터넷을 뒤지기로 했다. 그러기 위해서는 식물의 이름을 알아야 했다. 어떤 식물은 여태 통성명조차 하지 않고 함께 살아온 녀석도 있었다. 사람마다 좋아하는 게 다르듯 식물들도 좋아하는 환경이 다르다는 걸 알았다.

어리석게도 그제야 밖에서 겨울을 나는 식물과 아닌 식물을 구분하는 걸 배웠다. 다행히 밖에 내놓은 블루베리와 장미, 앵두와 라일락은 다음해에도 싹을 틔웠다. 언제 얼마나 물을 줘야 하는지 또 화분갈이는 언제 하는지도 차례로 알아나갔다. 행정복지센터에 가서 친환경 세제(EM)를 받아다가 식물에 뿌려주면 좋다는 것도 배웠다.

하지만 문제가 또 있는데 식물을 모두 화분에 심어서인지 성장이 원활치 않았다. 우리 집은 주택이지만 평수가 작아서 마당이랄 것도 없고 그마저도 시멘트로 덮여 있어 땅에 식물을 심을 수 없었다. 그래서인지 어느 정도 자라고 나면 식물들은 맥을 잃고 늘어졌다. 리모델링을 하며 땅을 팠어야 했는데, 이런저런 이유로 그러질 못했다.

"밑에 어딘가 정화조가 있을 텐데, 도면이 없어요. 잘못 건드렸다가는……."

지금이라도 내가 한번 땅을 파? 그러다 생각지도 못했던 놀라운 일이 또 펼쳐지려나? 아니면 이참에 옥상을 정원으로 만들어봐? 이런저런 생각이 머리에서 싹을 틔우기 시작했다.

아쉬운 대로 옥상에 나만의 임시 텃밭을 만들었다. 택배로 오는 스티로폼 박스에 구멍을 내고 상추와 쑥, 고추, 토마토 등을 심었다. 하지만 문제가 하나 있었는데 옥상에 수도관이 없어서 매일 물을 길어 올려야 하는 것이었다.

처음에는 그까짓 것 못 하겠냐 했지만 하루하루 시간이 지나고 화분 박스가 늘어나자 물을 주는 일도 벅차게 느껴졌다. 게다가 고추와 토마토는 어느 정도 잘 자라다가도 성장을 멈추곤 했는데 누가 봐도 이유는 화분이 작고 흙이 적어서였다. 이참에 돈을 들여 텃밭용 화분을 들일까 생각하다가도 그 값을 생각하니 엄두가 나지 않았다. 방부목으로 만든 화분은 작은 것도 개당 10만 원을 훌쩍 넘었다. 화분이 적어도 세 개는 필요한데. 그러면 차라리 내가 만들까.

자타공인 천하의 '똥손' 내가 만들어보기로 했다. 유튜브에서 동영상을 찾아보니 별일도 아니었다. 그렇게 따라서만 한다면 돈도 적게 들여, 옥상 정원까지도 만들 수 있을 것 같았다. 진즉에 동영상 찾아볼걸. 동네 목재 판매소에 가서 방부목을 샀다. 남들은 미리 설계도를 만들어 크기대로 나무를 잘라온다고 해서, 나도 사장님께 부탁했다.

"화분 만들려고 하는데, 방부목 팔아요?"

"네. 사이즈가 어떻게 됩니까?"

"그냥, 길이가 한 1미터 50 정도요?"

"높이는요? 그런데 너무 크지 않아요? 뭐 심으려고요?"

"그냥 일단 토마토 같은 거요. 그럼 크기를 어떻게……."

'그걸 왜 나한테 묻니'라는 표정을 하던 사장님은 그럼 보통 이렇게 하니 이렇게 하라며 나무를 잘라주었다. 내가 화분 세 개를 만들겠다고 하니, 다시 놀란 표정을 짓더니 일단 하나만 만들어보고 또 와서 사 가면 어떻겠냐는 의견을 주셨다. 처음 보는 분이었는데 어지간히 내가 걱정됐나 보다. 생각해보니 나도 그게 좋을 것 같아서 일단 하나 분량만 사서 돌아왔다. 예상보다 목재 가격은 저렴했다. 이참에 옥상 정원도 만들자! 혼자 쾌재를 불렀다.

그런데 잘라온 걸 못질만 하면 되는 거 아닌가? 그런데 왜 이렇게 안 맞지? 텃밭 화분 만들기 동영상에서는 뚝딱뚝딱 쉽게 하는 것들이, 내게는 전혀 쉽지 않았다. 목재가 비틀어지지 않게 수평을 맞추는 일부터가 어려웠다. 나사못을 나무에 박다가 자꾸 목재가 갈라지는 일이 생겨서, 다시 박고 또 박고 하다가 성질이 나고 말았다. 또 한 면씩 사면을 만들어 서로 합해보면 전체 균형이 맞지 않아 조립했다가 푸는 것을 몇 번이나 반복했다. 결국 '주말 하루면 하겠네' 했던 일이 일주일을 넘기고 말았다.

그러곤 그나마 동영상에서 보던 화분 모양새를 갖추긴 했는데 어딘가 찌그러진 만신창이 상자가 되어 있었다. '야, 이거 흙을 넣으면 버틸 수 있을까? 흙 쏟아 부으면 같이 부서지는 거 아니야.' '그런데 흙은 또 옥상까지 어떻게 옮기지?' '물은 또 매일 어떻게 길어 올리지' '아니, 왜 내 말을 안 듣고 옥상에 수도관을 안 놨어' '이러다 허리병 도지는 거 아니야?' 이 핑계 저 핑계가 머릿속에서 뭉게뭉게 피어올랐다. 아내에게 큰소리친 게 생각나서 오기로 완성해보려 하다가도, 이러다 정말 큰일을 치를 것 같아 여기서 멈추기로 했다.

나의 감춰진 취향을 알고 나니 욕심이 생기고, 욕심이 나니 삶은 다시 복잡해지기 시작했다. 생각했던 것처럼 한 살 두 살 나이를 먹어도 삶은 쉽게 간결해지지 않는다.

요즘 옥상정원을 다시 만들기 시작했어요.
만신창이여도 화분이 쓸모가 있더군요.

단독주택살이 봉봉's 팁

언젠가는 옥상에 정원을 꼭 만들고야 말겠습니다! 길을 걷다가
건물 옥상에 나무가 있는 모습을 보면 마음이 한결 부드러워 지
거든요. 우리 집도 남들에게 그런 곳이 되면 좋겠어요.

"여보, 답답한데 산책 나갈까?"

"어디로?"

"글쎄. 자유공원? 아니다. 오늘은 수봉공원 쪽으로 가보자."

"그래. 그럼 오는 길에 백령도 냉면 먹고 오면 되겠네."

사는 게 거기서 거기다. 어제는 자유공원, 오늘은 수봉공원, 내일은 아마 인천대공원이나 센트럴파크가 될 것이다. 어제가 오늘 같고 내일도 별반 다르지 않다. 어느 날은 그래서 불만이고 또 어느 날은 그 때문에 안도한다. 내 마음만 늘 평온할 수 있다면, 새로울 것 없는 이 일상도 감사하며 살 수 있을 텐데. 아니지. 일상을 유지할 수 있다는 것 자체가 얼마나 소중한 것인가 코로나 때문에 뼈저리게 느끼며 살고 있지 않나.

집 근처에 공원다운 공원이 없는 것 빼곤 대체로 지금 살고 있는 동네에 만족하고 있다. 덕분에 산책은 딴 동네로의 여정이 되었다. 아내도 나도 소박한 사람들이어서 그저 그렇게 걷다가 우연히 만난 붕어빵집이 맛있으면 그게 행복이라 생각한다. 스쳐 지나면서도 맛집을 발견해내는 나의 감식력에 자화자찬하며.

수봉공원은 제물포역 앞에 있는 낮은 산인데, 차도를 따라 빙빙 돌다 보면 쉽게 오를 수 있는 곳이다. 한참 주택을 사야겠다고 마음먹고 집을 보러 다닐 때 이곳 수봉공원 아래 동네도 아내와 함께 많이 들락거렸다. 동네가 산자락 아래 있어서 공기도 나쁘지 않을 것 같고 1호선 급행열차가 서는 제물포역도 멀지 않은 곳이라 위치도 괜찮았다. 무엇보다 이곳은 내가 어린 시절 생각했던 '마당이 있는 부잣집'들이 아직 남아 있는 그런 한적한 동네이기 때문이다. 물론 그 집을 우리가 살 순 없었지만.

우리의 구도심 산책은 늘 이런 주택 구경이다. 하루가 다르게 건물이 올라가는 곳들이 있는 반면, 그 뒤에는 변함없이 단정한 주택들이 있다. 그 단정하고 개성 있는 집들을 눈에 담으며 골목을 걷는 걸 좋아한다.

"저기 위가 거기 아니야? 우리가 사려고 했던 그 집?"

"그러네. 생각보다 역에서 멀었구나."

지금 우리가 살고 있는 집을 사기 전, 계약서에 도장을 찍을 뻔한 집이 둘 있었다. 한 집은 자유공원 아래 문구점 이층집이었고 또 하나가 바로 수봉공원 아래 이 집이었다. 제물포역에서 공원으로 올라가는 길 옆에 있는 이 집도 이층집이다. 평수가 적당했고 집 상태도 고쳐 쓰면 예쁘게 나올 수 있는 구조였다. 주차장이 없는 것이 마음에 걸렸지만 집 앞 길가에 대면된다고 부동산에서 설득했다. 게다가 이 집에는 골목 옆에 있는 작은 창고도 딸렸다는 것이 아닌가.

"그게 무슨 말이에요?"

"이 집은 집이랑 창고까지가 하나예요. 여기 보이시죠? 여기가 집이고 여기가 골목 올라가는 길인데 여기도 이 집 땅이고, 그 옆에 한 평짜리 작은 창고도 같은 필지예요."

'이게 무슨 말인가. 집을 샀는데 옆에 창고를 끼워준다는 것인가? 원 플러스 원? 아니지. 애당초 마당이었어야 할 곳인데 집과 창고 사이에 골목길이 생겨났다는 말인가? 그나저나 저 창고를 테이크아웃 커피숍으로 하면 딱이겠는걸.'

"그럼 이 골목길 일부도 이 집 땅이라는 거예요?"

"그렇죠. 옛날 동네는 이런 데 많아요. 정 뭐하면 진정서를 내서 구청에 파는 수도 있고…… 창고는 안 쓸 거면 우리가 임대 놔줄 테니 걱정 말아요."

"그러면 얼마까지 깎아주실 겁니까?"

집도 마음에 들었지만 사실 창고가 더 솔깃했다. 아내가 한창 커피에 열중했을 때라, 창고를 로스터리 룸으로 활용하면 좋을 듯 보였다. 게다가 주말에는 수봉공원에 놀러 가는 사람들을 상대로 테이크아웃 커피숍을 해도 좋을 그런 위치였다. 그래서 구청에도 문의해보고, 토지 대장을 떼서 구청 근처 건축사 사무실도 찾아가 봤다.

"이런 집을 왜 사요? 집 사는 거 처음이면 앞으로 내 말 명심해서 들어요. 집은 네모반듯한 데를 사는 거요."

아직도 건축사 아저씨의 말이 귀에 들리는 듯하다. 사람을 얕보는 듯한 말투가 기분 나빴지만 애송이에게 한 수 가르쳐주는 고수의 말처럼 권위가 있었다.

건축사 선생 말대로 복잡한 집은 사는 것이 아니다. 구청 담당자도 민원이 발생하지 않는 그런 사유 재산을 어떻게 구청이 사냐며 해결하기 복잡한 문제라고 했다. 창고를 변경해서 뭘 하는 것도 용도변경부터 시작해 단순한 일이 아니라고 했다.

그래도 우리는 미련이 조금 남았는데 '그러면 골목길에 벽을 쌓아 막아서 민원 나오게 하면 되지 않겠냐'는 부동산의 말을 듣고 깨끗이 포기하기로 했다. 아니, 그렇게까지 하고 살란 말인가?

다시 가본 그 집은 그대로였다. 우리가 집을 보던 때에도 문에 쑤셔 박혀 있던 각종 고지서들이 여전했다. 그 옆 창고는 웬일인지 말끔히 페인트가 칠해져 있었다.

"이 집 아직도 안 나갔나 보네. 그때 안 사길 정말 잘했어."

"그러게. 그런데 부동산에서 왜 이 집을 보여준 걸까?"

"우리가 어리숙해 보였던 거지 뭐."

"그나저나 우리가 살던 아파트 있잖아. 거기 지금 얼만 줄 알아?"

"얼만데?"

"1억이 더 올랐대. 그때 그 집을 샀어야 했나?"

'집을 무엇 하러 사나. 전세로 이 동네 저 동네 좋아하는 동네에서 몇 년씩 살면 좋지'라고 생각했던 때였다. 지금 생각해보면 아찔한 생각이었다. 그러고 보니 우리는 여러모로 고달플 수 있는 선택을 멋모르고 쉽게 생각해왔던 것 같다. 눈을 흘기며 부동산 옆을 지났다. 수봉공원 정상 근처에 또 우리가 본 주택이 있었는데, 그 집은 흔적도 없이 사라지고 4층짜리 빌라가 들어서 있었다.

"그때 이 집을 사서 우리도 이렇게 했어야 했나?"

"돈을 생각하면 그런데, 모양이 참 별로다. 그치?"

"신포동에 우리가 본 집 있잖아. 거기도 지금 두 배는 올랐대."

"그래? 그때 그 집을 샀어야 했나?"

"그러게. 세탁소 아줌마 이야기 들어보니까 우리 동네도 좀 올랐다는 거 같더라."

"지금 안 오른 데가 어딨어? 올라봤자지 뭐."

"이렇게 다들 오르면 우리는 평생 우리 집에서 살아야 하는 거 아냐? 하하하."

"그나마 집이 있으니까 다행이다."

"그래도 노후 준비는 뭔가 하긴 해야겠어."

산책은 또다시 주택 구경이 되었고 부동산 걱정에 이르러서는 평온하던 마음도 흔들리기 시작했다. '우리도 남들처럼 아파트를 샀어야 했나.' 떨쳐버리고 싶었던 생각에 마음이 불안해진다. 아파트 값이 너무 오르니 괜히 노후 걱정이며 이런저런 근심까지 생기게 되는 것이다.

'아니지. 그걸 어떻게 알아. 그러면 다른 데라도 투자를 해야 하나. 그런데 투자할 돈이 또 어딨남? 더 늦기 전에 대출을 받아 땅이라도 사?'

평온하던 마음은 흔들리고 언제나 지금 같을 수는 없을 거란 불안이 집으로 투영된다. 멀쩡해 보이던 동네가 괜히 구질구질해 보인다. 곳곳에 쌓아놓은 재활용 쓰레기 더미도 못마땅하고 왜 아파트 단지처럼 거리를 말끔하게 관리하지 못하는지 화가 인다. 그래서인지 꺼내든 카메라 초점이 흔들린다.

하지만 카메라 앵글에 들어온 단정한 주택들은 제각각 아름다워서 나의 눈을 붙들고 발길을 떼지 못하게 한다. 주택의 불편함을 저마다의 방편으로 꾸미고 사는 골목의 모양새들은 그럼에도 다정하고 정답다. '그래, 집이 무슨 죄가 있나. 집을 집으로 보지 않는 세상이 문제지. 부동산 대책 백번 내놓아봐야, 이 생각을 바꿀 수 없다면 다 쓸데없는 짓 아닌가. 그런데 사람 생각 바꾸는 게 그게 어디 쉬운 일인가.'

"자기야, 사진 그만 찍고 빨리 와."

"그래. 냉면이나 먹으러 가자. 오늘은 비냉이야 물냉이야?"

"당연히 언제나 물냉이지."

단독주택살이 봉봉's 팁

인천에는 백령도식 냉면이 있어요. 백령도 특산물인 까나리 액젓을 냉면에 가미해 먹는 것인데, 감칠맛이 아주 좋습니다. 까나리는 벌칙으로 먹는 걸로만 알고 있는 이들이 있는데, 이만한 천연 조미료가 없습니다. 미역국에 까나리 액젓만 넣고 끓여도 그 맛이 기가 막히죠. 백령도에 가서 냉면 한 그릇 먹고 싶어지네요.

구도심은 재생될 수 있을까?

　　　　우리가 살고 있는 동네로 이사 와서 깜짝 놀란 일들이 몇 있었는데, 그 가운데 흥미로웠던 것은 '영화 촬영'이었다. 이사를 온 후부터 동네에서 심심치 않게 영화나 드라마를 촬영하는 장면을 목격했다.

　영화는 주로 동네 명소 헌책방 주변에서 촬영했다. 우리가 이사 오기 전, 이미 드라마 〈도깨비〉 촬영지로 '한미서점'이 소문이 나면서 주말이면 사진을 찍으러 오는 관광객들이 더러 보였다. 얼마 후에는 〈인랑〉이란 영화도 헌책방 '아벨서점'에서 촬영했다. 우리 동네가 나온다는 이유 하나로 아내와 일부러 이곳 구도심의 유일한 개봉관, 애관극장에 가서 영화를 봤다.

　그리고 또 얼마 후에는 어제까지만 해도 없던 통닭집 간판이 마치 오래전부터 그 자리에 있던 것처럼 떡하니 나타나, 당시만 해도 동네 사정을 잘 모르던 아내와 나를 홀린 일이 있었다. 집 근처에 변변히 먹을 곳이 없던 차에 언제 이 집에서 '치맥'이나 한잔하자고 아내와 약속을 했는데, 얼마 후 지나가다 보니 그새 또 다른 치킨집 간판으로 바뀌어 있는 것이 아닌가.

나중에 보니 이 의문의 통닭집은 우리나라 1천 6백만 명이 알고 있는 그 유명한 '수원왕갈비통닭'이었다. 이 집 통닭을 먹을 것인가 말 것인가, 지금까지 이런 경우가 있었던가 없었던가, 아내와 나는 쓸데없는 고민을 했다. 하지만 덕분에 스타 배우들을 지척에서 바라보는 즐거운 경험을 하게 되었다. 멀찍이서 봐도 밤낮없이 촬영하는 배우들의 일은 '극한직업'으로 보였다.

지자체에서는 관심도 없던 영화가 대박이 나자, 그곳이 여기임을 알리기 위해 그야말로 '관스러운' 홍보를 시작했다. 거리엔 현수막과 영화 장면을 찍은 사진이 벽보로 붙었다. 하지만 불행히도 동네엔 영화의 흔적이라곤 아무것도 남아 있지 않았다. 하다못해 통닭집 간판이라도 남았다면 좋았을 텐데, 촬영 장소를 대여해준 사장님은 촬영 이전으로 완벽히 복구할 것을 처음부터 신신당부했었다 한다.

아무튼 이곳이 그곳임을 홍보하는 데 간신히 성공해서 사람들이 찾아온다 한들, 여전히 헌책방 앞에서 사진이나 한 장 찍는 것 이외에는 할 수 있는 건 거의 없어 보였다. 차라리 안 하느니만 못한 홍보였다. 여기가 거깁니다만 할 게 아니라, 그래서 와보니 이 동네 매력 있고 좋구나, 공간이 축적한 시간 즉 '장소성'을 살리는 데 노력했어야 했다.

아무튼 그 후에도 〈무법 변호사〉를 비롯해 수많은 드라마와 영화를 우리 동네에서 촬영했다. 바로 윗동네인 숭의동 전도관 인근에서는 〈나의 아저씨〉를 그리고 양키시장에서는 쫓고 쫓기는 수많은 범죄 영화를 찍었다는 이야기를 들었다.

"요즘 아파트에 사는 사람들이 훨씬 많을 텐데, 드라마에서 주인공들은 왜 모두 주택에 사는 걸로 나오지?"

아내는 드라마를 보며 이런 이야기를 했다. 그러고 보니 그렇다. 영화와 드라마 촬영은 잊을 만하면 계속되었다. 그런데 처음에는 흥미롭던 촬영도 계속 반복되다 보니 불편함이 느껴졌다. 퇴근하고 집으로 가는 길은 걸핏하면 촬영 때문에 통제를 했다. 그래서 일방통행 길을 역행해 가거나 촬영이 끝날 때까지 한참을 기다렸다가 집에 들어갔다. 집을 지척에 두고 가질 못하니 왜 이런 불편을 감수해야 하나 차츰 분통이 터졌다. 북촌 한옥마을이나 인근 동화마을 주민들이 몰려드는 관광객 때문에 이사를 간다는 말이 이해가 될 것도 같았다.

그리고 한편으로는 이런 의문도 들기 시작했다. '그런데 왜 유독 우리 동네에서 이렇게 영화를 많이 찍는 걸까?' 이런 구도심 풍경은 다른 곳에 전혀 없기 때문일까. 그건 아닐 텐데. 아니면 사람들이 많이 살지 않고 뜸하니, 촬영하기가 만만해서일까. 민원이 별로 없으니까, 좋게 말해 협조가 잘되니까 그런 걸까. 영화 촬영지로 소문이 나면 지자체에서도 관광지로 어떻게 해볼 가능성이 있으니까?

아마도 이 모든 이유로 우리 동네는 영화 촬영의 메카가 되었을 것이다. 동네가 허름해서 옛날 정취가 남아 있고, 양키시장이나 송림동의 뒷골목들은 허름하다 못해 허물어져가는 건물 때문에 범죄 장르에 적합해 보일 수도 있다. 그것이 나쁜 일도 옳지 않은 일도 아니지만 이런 의문이 든다. 그들이야 영화에 필요하니 그렇다고 해도, 그것이 주민이나 지역에는 무슨 의미가 있는 것일까? 그래서 소비되는 공간이란 것이 결국 구도심의 '다크 포스', 가난과 낙후된 동네라는 이미지일 뿐일 텐데.

매일 영화 촬영을 하고 운이 좋아 그게 사람들에게 알려지고 그래서 동네를 찾는 이가 많아진다 해도 주민과 지역은 더 살기 좋아지는 걸까, 나는 의구심이 들었다. 영상 산업이 소비하는 건 공간의 의미가 아니라 그저 이미지일 뿐이지 않은가. 그리고 그런 유명세를 이용하려는 이들도 결국 지역과 주민의 삶은 보지 않는 것이 아닌가.

　아니나 다를까 지자체는 관광객에게 보여줄 무언가를 찾아 사업을 시작했다. 그렇다면 이거라도 잘하면 좋을 텐데, 무엇을 하고 싶은 것인지 종잡을 수가 없다. 거리 상점들의 외관을 뜯어고치고, 볼썽사납던 전선을 지하에 묻는 사업도 시작했다. 그런데 외관 보수 사업은 그 획일성으로 한차례 잡음이 있더니, 전선 지하화 사업에서는 주민들이 살고 있는 골목은 완전히 외면해버린 까닭에 우리 집 앞에는 안 그래도 보기 싫은 전봇대가 하나에서 둘로 늘게 되었다.

　하지만 그렇게라도 동네가 알려지고 사람들도 많이 찾기를 나는 바란다. 이를 통해 낡은 구도심 전체가 재생되어 살기 좋아졌으면 좋겠다. 그런데 지역을 알리고 관광까지 이어지게 하려면 오히려 동네가 품고 있는 장소성에 더 의미를 두어야 옳지 않을까. 그저 협조 잘되는 영화 촬영지로 소비되고 말 것이 아니라, 동네의 전통과 역사 그리고 현재 갖고 있는 공간의 의미를 드러내고 가꾸는 일에 더 힘을 들여야 한다. 내가 살고 있는 동네는 충분히 그럴 만한 스토리를 간직하고 있다.

공간은 시간이 축적된 장소이다. 그 시간과 공간은 그곳에 살았던 이들이 만든 것이고, 사람들은 그 특별한 '장소성' 때문에 그곳을 찾고 싶은 것이다. 개발해야 할 것은 부끄러워 감추고 싶은 외관이 아니라 장소가 품고 있는 이야기이지 않을까.

싸리재, 개항로 그리고 뉴트로

"신포만두 본점이 여기 신포동이었어?"
"그럼. 그러니까 신포만두지. 신포 닭강정도 이 동네야."

전주에서 학창 시절을 보낸 아내는 신포만두 쫄면을 좋아
했었다고 한다. 그런데 결혼하고 인천으로 이사 와, 집 근처
를 산책하다 오랜만에 추억의 분식집을 발견하니 깜짝 놀랄
수밖에. 여기 인천에서 쫄면이 탄생했다는 것에 한 번 더 놀
라고, 그 맛을 보고는 예전 전주에서 먹던 게 더 맛있었다며
또 한 번 놀란다.

우리 집을 나서 맛의 일 번지 신포동에 가기 위해서는 싸
리재 길을 통한다. 인천에 오래 산 이들이나 아는 이름 '싸
리재'는 개항 시절, 제물포항에서 서울로 가기 위한 개항의
길목이었다. 그래서인지 이 근방에는 '배다리' '싸리재' '긴

192

담모퉁이' 같은 오래된 우리말 지명들이 아직 남아 있다. 아내와 나는 이곳 배다리로 이사 온 후, 싸리재를 지나 긴담모퉁이를 또 돌아 신흥동과 신포동의 식당을 향해 산책하는 걸 좋아한다. 이 길에는 오래된 주택과 건물들이 남아 있어 구경하는 맛도 있다.

그런데 이사 온 후 얼마 지나지 않아 이 싸리재에 대형 카페가 하나 생겼다. 애관극장까지 정도야 신포동 상권이라고 해도, 그 너머 싸리재는 밤이면 사람이 뜸한 길인데 갑자기 4층짜리 카페가 웬일인지 궁금했다. 그래서 가보니 아니 웬걸! '브라운 핸즈'가 아닌가! 우리가 몇 해 전, 부산을 여행하다 발견하고 마음에 들어한 카페였다. 부산에서 가장 오래된 병원 건물을 멋스럽게 카페로 소생시킨 솜씨를 보고 감탄했던, 그 카페가 우리 동네에? 그것도 여기 싸리재 길에? 커피를 사랑하는 아내는 신포만두를 발견한 때보다 더 놀라고 기뻐했다.

그런데 좀 더 시간이 지나자 싸리재에 가게들이 늘기 시작했다. '브라운 핸즈'가 그랬던 것처럼 하나같이 오래된 건물을 근사하게 리모델링한 식당과 카페들이었다. '맛은 인테리어에 비례한다'라고 생각하는 나에게는 꽤나 흥미로운 일이었다. 이탈리안 레스토랑이 생기고, 동남아 음식점이

문을 열더니 이제는 비건 레스토랑까지 생기면서 컴컴하던 골목길을 하나둘 밝히기 시작했다. 90년대 말, 이곳 인현동, 경동 이른바 '동인천 르네상스'가 무너진 후 그야말로 발길이 뚝 끊긴 이곳에 이런 갑작스런 변화는 정작 눈으로 보고도 믿기지 않았다. 드디어 우리 동네에도 핫플레이스가 생기는 건가.

　이야기를 들어보니 카페와 식당을 운영하는 이들은 스스로를 '개항로 프로젝트'라고 칭하는 그룹이었다. 이태원 경리단길을 만든 사단의 일원이라는 이야기가 들렸다. 이들은 본인들의 개업과 동시에 주변 가게들을 홍보하는 작업도 병행했다. 근처에 있는 광신제면(우리나라 최초로 쫄면 면발을 탄생시킨 제면소)에서 면을 만들어 면 요리를 하고, 근처 목간판 제작소에서 간판을 만들어 달았다. 이런 활동을 SNS에 알리며 곁에 있는 노포를 알리고 협업하는 모습을 보여주었다. 그리고 이런 과정을 담은 사진 전시회도 열었다.

　프로젝트가 추구하는 바는 자신들 가게만 잘되는 게 아니라, 동네 전체가 다시 재생되어 활기를 띠길 바라는 것이었다. 거창하게 말하면 도시재생. 이들의 이런 노력은 제1회 도시재생산업박람회에서 '국무총리상'을 받는 결실을 맺기도 했다. 그렇게 '싸리재'는 서서히 '개항로'가 되어갔다. 하지만 한편에서는 이런 이야기도 들리기 시작했다.

"그거 서울 애들이 내려와서 건물 죄다 사서 집값 올리는 거잖아. 젠트리피케이션 몰라?"

동네에 먼저 자리 잡은 이들 중에는 이들에 대해 적대적인 분들도 있었다. '인천 사람들이 아니다'부터 시작해 젠트리피케이션을 유발하는 부동산 세력이며 배후에 뭐가 있다는 둥 부정적인 이야기가 들렸다.

어떤 일이든 보기에 따라서 달라 보인다. 그런데 설사 그렇다고 한들 그게 나쁜 걸까. 가게들이 저렇게 문 닫고 있는 것보다 누구라도 장사를 하는 게 나은 것이 아닐까.

이들 중 일부는 인천이 고향으로 자신들이 과거 놀던 동인천 일대를 새로운 상권으로 잡은 것이다. 몰락한 인현동과 경동의 상가들은 비교적 저렴했고, 영리하게도 이들은 주택도시보증공사(HUG)의 도시재생 명목 대출을 받아 건물 자체를 매입했다고 들었다.

그리고 자신들의 주특기인 디자인과 인테리어를 무기로 내세워 인천의 힙스터들을 구도심 골목으로 끌어들이는 것이었다. 거기에 동네의 매력과 노포들을 소개하며 단지 자신들은 장사를 하는 게 아니라 로컬 재생을 한다는 마케팅을 한 것이다.

그게 모두 장사속이라도 쳐도 삭막하던 거리에 다시 활력을 불어넣은 것만으로도 의미가 있다. 이 가게에 오는 젊은 층들이 구도심 동네의 매력을 발견할 수 있다면, 그것은 좋은 시작이다. 그리고 이들이 도시재생 기금을 적절히 활용하는 방식도 벤치마킹해서 젠트리피케이션 문제로 쫓겨나는 가게들도 그 불행을 피할 수 있다면 좋지 않을까. 다들 그렇게 하지 못하는 나름의 사정이 또 있을 테지만 말이다.

세월이 지나면 이름도 바뀌고 도시도 변하는 게 세상의 이치라는 걸 깨닫는다. 화려했던 곳은 구도심이 되어 쇠락하고 또 어느 곳에서는 새로운 도심이 형성된다. 싸리재는 이제 개항로가 되었다. 그리고 오늘도 카페가 하나 더 늘어나 한때 붐비던 경동 웨딩 거리는 이제 카페만 해도 열댓 개가 넘는 카페 거리가 되었다. 아쉬워할 일만은 아닌 일이다. 안타까운 것은 오래되고 낡았다는 이유로 모든 걸 부수고 개발하는 편의성이다.

모든 게 복제되는 세상에서 오래되어 낡은 것만큼 유니크한 것은 없다. 그곳에는 돈 주고도 살 수 없는 시간과 스토리가 축적되어 있기 때문이다. 요즘 세대가 이 멋지게 디자

인된 낡음에, 일명 '뉴트로'에 끌리는 이유가 바로 그 때문이다. 이런 끌림을 시작으로 구도심의 매력들이 드러나기를 나는 소망한다. 우리가 이 오래된 동네로 이사한 이유 중 하나도 그런 끌림 때문이었으니까.

이제는 개항로가 된 싸리재 길.

구도심 주택
망설여지는 이유

　　　　　　　주택에 살아보니 괴로움도 즐거움도 있다. 굳이 무게를 재어보자면 즐거움 쪽이 더 크다. 우리를 괴롭혔던 층간소음에서 해방되었고 애매한 거리긴 하지만 이웃도 생겼다. 동네 책방이며 카페와 술집, 내가 좋아하는 것들이 주위에 있어서 오래된 동네를 산책하는 즐거움도 있다. 게다가 요즘엔 동네를 재생하는 사업을 한다 하니 살기가 더 좋아지지 않을까 기대도 된다.

　도시재생을 위한 주민공청회에 나오라고 해서 한번 가보았다. 재생 사업으로 무엇을 할지 의논하는 자리였다. 우선 센터를 짓고, 교육프로그램도 한단다. 그리고 주민들 의견을 물어 이런저런 사업을 하는데 대체로 다른 곳에서 하는 것과 비슷했다. 나도 주민의 한 사람으로 의견을 내려고 손을 들었다. 그런데 분위기가 좋지 않았다. 이미 주도권을 잡은 분들이 계셨고, 나는 이사 온 지 얼마 안 된 풋내기일 뿐이었다.

회의에 몇 차례 나가봤지만 회의만 들 뿐이었다. 내가 하려던 말은, 우리가 이사 오면서 겪은 문제들과 구도심 주택으로 이사하기가 망설여지는 이유들이었다. 이 문제에 대한 대안을 마련한다면 이곳에 사는 사람들도 살기 좋고 그러면 당연히 구도심으로 이사하려는 이들도 늘 것 아닌가. 그게 바로 도시재생 아닌가. 구도심 신출내기라 다하지 못한 이야기를 적어본다.

① 공영주차장을 만들 것

구도심 주택의 고질적인 문제점이다. 우리는 다행히 집 앞에 공영주차장이 있었기에 주택을 매입하는 데 고민을 덜게 되었다. 지어놓고 유지도 못하는 재생 센터를 자꾸 만들게 아니라 그 돈으로 주차장을 더 늘리면 어떨까?

② 센터는 이제 그만

도시재생 사업을 하며 센터를 자꾸 만드는 이유는 그것이 마을 공동체 허브 역할을 하길 바라기 때문이다. 그 환상을 버려야 한다. 센터 만들어놓고 이런저런 교육을 한다고 갑자기 없던 공동체 정신이 생길 리 없다. 사업비 중 상당 비중을 센터 짓는 데 쓰고, 인건비로 또 나가게 된다. 그러다 자금이 고갈되면 센터를 놀리며 이걸 어쩌나 하는 걸 많이 봐왔다. 도시재생에 공동체 정신이 반드시 깃들어야 할 이유도 없고, 센터가 없어도 생길 이유가 있으면 생긴다.

③ 도시가스 설치는 쉽게

우리가 이사를 하며 겪었던 가장 큰 어려움은 도시가스 설치였다. 나는 아직도 도시가스를 왜 개인이 책임져야 하는지 이해가 안 된다. 도심의 도시가스는 상·하수도 같은 생활 기본 인프라가 아닌가. 인터넷망 사업자처럼 도시가스 사업자가 관 매립비용을 대고 소비자가 이를 저비용에 이용할 수 있도록 행정력을 발휘해야 한다.

④ 마을공구대여소는 좋다

도시 재생 관련 사업 가운데 가장 마음에 와 닿는 사업이다. 주택에 살다 보면 공구들이 필요할 때가 있는데, 옆집에 가서 빌리기도 뭣하고, 사기에는 비싸다. 이런 공구들을 마을주택관리소에서 대여해주는 것이다. 누가 생각해냈는지 칭찬해줘야 한다. 이게 생활 필요에 의해 생기는 공동체 정신이다.

⑤ '순돌이 아버지' 서비스는 늘려야

마을공구대여소에서 한 발 더 나아가는 서비스이다. 주택에 살다 보면 대부분 '순돌이 아버지'가 되어 자신이 뚝딱뚝딱 집을 고치며 살아야 한다. 그런데 문제는 나처럼 '똥손'들은 뭘 해도 엉망이라는 것이다. 아파트 관리소처럼 구도심에도 동네마다 '순돌이 아버지 관리소'를 만들어서 '똥손'들을 구해야 한다. 비용은 도시재생 사업 기금과 이용자가 나눠 부담하면 된다. 어디에나 있는 지역 재주꾼들의 일자리를 창출하는 효과도 있다. 인천에는 마을주택관리소가 이와 같은 역할을 하고 있다.

⑥ 교육이 핵심이다

아이를 키우는 부모들이 구도심 주택을 꺼리는 가장 큰 이유이다. 구도심 인구가 적으니 학교가 많지 않고 사교육을 시킬 곳도 마땅치 않다는 것이다. 그보다 더 큰 문제는 구도심은 가난한 동네, 가난한 동네는 가난한 교육열, 결론 아무튼 후짐. 이런 인식이다. '이부망천'의 사고 구조와 다를 게 없다. 구도심에서 본때를 보여줘야 한다. 방법은 특성화 교육, 공교육 강화밖에 없다. 남한산성초교 사례처럼 구도심 공립학교가 혁신적인 모습을 보여줘야 한다.

⑦ 집은 투자 대상이 아니라 삶의 공간이다

교육문제만큼이나 구도심 주택을 꺼리는 이유는 투자가 치가 별로 없기 때문이다. 아파트는 오르는데 주택은 안 오른다. 남들 다 오르는데 10년을 살아도 나만 안 오른다. 열받는다. 이게 현실이다. 집이 투자의 대상에서 내려오지 않는 한 풀지 못할 숙제이다. 반면 우리처럼 구도심 주택의 가격 메리트로 이사하는 이들도 있다. 이것도 하나의 현실이다. 내 집에서 맘 편하게 오래 살고 싶고, 내가 살고 싶은 동네에서 살고 싶다. 집값이야 안 올라도 상관없다. 이제 이런 생각을 하는 사람들도 하나둘 늘어나고 있다. 스스로 열만 안 받으면 된다. 이런 생각이 더 늘어나면 구도심으로 눈길이 갈 수밖에 없다. 눈길이 가면 발길이 가고 발길이 쌓이면 돈도 모인다. 세상일 누가 알리오.

⑧ 거리에 나무를 심자

신도시가 부러운 것 중 하나는 공원과 가로수들이다. 구도심에는 나무도 별로 없고 공원도 없는 경우가 많다. 주민들을 위한 작은 공원이라도 많이 만들어줘야 한다. 또 거리에는 나무를 심어서 걷고 싶은 동네 분위기를 연출해야 한다. 그래야 걸을 맛이 나고 그래야 사람들이 찾는다.

이제는 사라진,
신흥동 '긴 담 모퉁이' 골목길.

단독주택살이 봉봉's 팁

단독주택이 본인에게 맞는지, 아닌지 판단이 서지 않는 경우 일단 전세로 주택에 살아보는 것도 방법이 될 수 있어요. 전원주택에 대한 로망이 있던 사람도 막상 전원에 살아보면 못 살겠다고 하는 분들도 여럿 있거든요. 살아보고 선택하는 게 현명한 방법인 듯합니다.

영화 〈로마〉를 보고 깨달은 몇 가지가 있다. 우선, 영화에서 사운드는 얼마나 중요한 요소란 말인가! 라디오 방송 일로 소리를 녹음하러 다니던 내게 그것은 또 다른 시각을 여는 계기가 되었다. 또한 감독 개인의 기억과 스토리가 어떻게 '로마'라는 한 도시, 크게는 멕시코라는 한 국가의 역사로 확장할 수 있는가를 멋지게 보여주었다. 누구 말마따나 '가장 개인적인 것이 가장 창조적인 것'이며, '가장 지역적인 것이 가장 세계적'이라는 말을 이 영화를 통해 깨닫게 되었다.

그리고 정말 중요한 것, 이 영화에서 가장 사랑스럽고 평화로운 풍경. 옥상에 빨래를 너는 마지막 장면이었다. 가정부 '클레오'는 옥상에 빨래를 널고 그 자리에 벌렁 드러눕는다. 자신이 돌보는 막내 '페페'도 머리를 맞대고 같이 눕는다. 햇살은 따사롭고 바람도 적당하다. 눈을 감으니 도시의 소리가 귀에 들려온다. 그리고 그 소리는 기억을 데리고 온다. 누가 뭐래도 이 순간만큼은 너무나 평화롭다.

그 평화로운 순간은 옥상이 있는 단독주택으로 이사한 우리에게도 찾아왔다. 옥상에 빨래를 너는 일은 그동안 아파트에 저당 잡힌 직사광선과 바람을 되찾는 일이기도 했다. 옥상에 빨래를 널고 아내와 마스크 없이 야외 테이블에 앉아 쏟아지는 햇살을 흠뻑 즐겼다. 그리고 같은 비용을 지불하고도 그동안 왜 이런 사소한 즐거움을 누리지 못하고 살아왔는가에 대해 이야기했다.

아파트에 저당 잡힌 것들 중에 층간소음도 마찬가지였다. 방문을 여는 소리, 화장실 소리, 쿵쿵거리는 소리, 윗집 아랫집 주위 사람 모두를 잠정적 범죄자로 의심하며 살아야 했다. 서로가 서로에게 가해자이자 피해자였다. 아내는 더 이상 층간소음에 시달리지 않는 것만으로도 단독주택으로 이사하길 잘했다는 생각을 한단다.

단독주택으로 이사한 후 어느 날 아침 멀리서 들리는 낮은 소리에 눈을 떴는데, 정신 차리고 들어보니 멀리 항구에서 들리는 뱃고동 소리였다. 세상에! 아내와 나는 잠에서 깨어 서로를 바라보고 웃음을 터트렸다. 바다는 어디 있는지 보이지도 않는데, 소리는 우리를 흔들어 깨워 우리가 살고 있는 동네가 바다에서 멀지 않음을 알려주었다. 바다의 소리. 바다가 부르는 소리. 멀리 언덕과 건물과 아파트와 우리 집 이중 창호까지 모두 관통하고 침실까지 찾아온 소리. 그 것은 소음이 아니라 소리였다.

또 어느 비 오는 날에는 옆집 기와지붕과 장독대에 떨어 지는 빗소리가 그렇게 또 아름답게 들릴 수가 없었는데, 골 목길에 늘어선 집들은 마치 다른 악기처럼 저마다의 소리 를 들려주었다. 소리는 앞집 할머니 텃밭에, 옆집 통장님 기 와에, 뒷집 문방구 차양에 그리고 골목길 담벼락에 숨어 있 다 '짠' 하고 나타났다. '하! 빗소리가 이렇게 풍성할 수 있 다니.' 여기에 한밤중에 음악을 크게 들어도 뭐라 할 사람이 없으니 소리에 대한 묘한 해방감마저 든다.

단독주택으로 이사한 후, 그동안 우리는 얼마나 소리에 숨죽이며 살아왔는지 깨닫게 되었다. 주위 모든 소리는 소 음일 뿐이어서 그동안 우리 삶의 일부분마저 지우며 살아야 했던 것이다. 그 무소음의 진공 상태에서 무엇을 잃고 있었 는지 모른 채 말이다.

단독주택으로의 이사는 우리에게 또 다른 삶을, 소음이 아닌 소리가 있는 삶을 선물해주었다.

어디에서든
모두 오붓하게 사시길!

아파트 층간소음 탈출기
단독주택에 진심입니다

1판 1쇄 2021년 4월 30일
    2쇄 2021년 6월 7일

지 은 이 봉봉

발 행 인 주정관
발 행 처 북스토리㈜
주   소 서울특별시 마포구 양화로 7길 6-16 서교제일빌딩 201호
대표전화 02-332-5281
팩시밀리 02-332-5283
출판등록 1999년 8월 18일 (제22-1610호)
홈페이지 www.ebookstory.co.kr
이 메 일 bookstory@naver.com

ISBN 979-11-5564-224-5 03810

※잘못된 책은 바꾸어드립니다.